Proyecta una imagen triunfadora

Cómo lucir, hablar, pensar y actuar con liderazgo

DIANNA BOOHER

TALLER DEL ÉXITO

Proyecta una imagen triunfadora

Título en inglés: *Creating Personal Presence*
Traducción: © 2012 Taller del Éxito Inc.

Créditos de las fotografías
Algunas de las fotografías utilizadas en los capítulos 4 y 5 fueron adquiridas bajo una licencia libre de derechos en www.dreamstime.com, según como aparecen a continuación:
Las figuras 1, 2, 6, 7, 8, 11 y 22 son utilizadas por cortesía de Jennifer Booher.
Figura 3. ©Andreg Skribans
Figura 4. ©David Gilder
Figuras 5, 20, y 24. ©Yuri Arcurs
Figuras 9 y 25. © Andrés Rodríguez
Figuras 10 y 16. ©Elwynn
Figura 12. ©Andrzej Podsiad
Figura 13. ©Sophieso
Figura 14. ©Snezhok
Figura 15. ©Denis Pepin
Figura 17. ©Serdar Tibet
Figura 18. ©Olga Vasilkova
Figura 19. ©Kati1313
Figura 21. ©Geotrac
Figura 23. ©Olga Ekaterincheva

Publicado por:
Taller del Éxito, Inc.
1669 N.W. 144 Terrace, Suite 210
Sunrise, Florida 33323
Estados Unidos

Editorial dedicada a la difusión de libros y audiolibros de desarrollo personal, crecimiento personal, liderazgo y motivación.
Diseño de carátula y diagramación: Diego Cruz

ISBN 10: 1-607381-14-1
ISBN 13: 978-1-60738-114-3

Printed in Colombia
Impreso en Colombia por D'vinni S.A.

12 13 14 15 16 ❖|CD 05 04 03 02 01

Prólogo

Hace aproximadamente quince años, en medio de un discurso ante cerca de 3.500 personas, invité a dos voluntarios a subir conmigo al escenario para demostrar los principios que ejercen influencia en el modo de proyectar nuestra imagen personal. Nunca antes había hecho ese experimento ante un grupo grande y honestamente estaba un tanto nerviosa. ¿Y si nadie se ofrecía como voluntario? ¿Qué ocurriría si los voluntarios eran demasiado tímidos como para poder ayudarlos? ¿Qué haría si resultaran tan buenos que no pudiera encontrar ningún consejo para mejorar su aspecto?

La primera voluntaria pasó al escenario, tomó el micrófono que le entregaron, se presentó y dio un breve resumen de un importante proyecto en el que estaba trabajando. Después de treinta segundos yo dije: "¡Alto!". Luego hablé a solas con ella durante un minuto dándole un par de consejos de entrenamiento. Ella regresó al escenario principal y repitió su presentación.

Tras la demostración del "antes" y "después", invité a que el público se acercara a los micrófonos que había en los pasillos del auditorio y mencionara las diferencias en el impacto del orador. Dijeron adjetivos que yo esperaba oír: "Más confiada". "Más atractiva". "Con más control". "Con más autoridad. Más creíble". Todos eran calificativos que yo presentía, así que fue satisfactorio escucharlos aunque no había usado ninguna de esas palabras al entrenarla. "¿Te dije que hicieras o fueras alguna de las cosas que han mencionado?". Le pregunté a la voluntaria. "No", respondió ella, obviamente complacida con su desempeño y con la retroalimentación que recibió.

Luego pregunté quién quería ser el segundo voluntario. Cuatro o cinco personas levantaron la mano y nuevamente elegí a alguien para que se acercara al escenario. Entré en pánico tan pronto comenzó a caminar por el pasillo hacia mí. Su modo de andar era vacilante y se veía muy rígido. "¡Ay no! Estoy en problemas", pensé. Cuando tomó el micrófono, su voz sonaba como la de un niño de doce años. De nuevo, después de treinta segundos dije: "¡Alto!" Entonces hice la misma rutina basada en un minuto de consejos de entrenamiento.

Luego él pasó nuevamente a hacer el segundo intento y la multitud estalló en aplausos y silbidos. Fue como si se hubiera transformado en una estrella de rock haciendo su presentación.

"¡Montaje!" "¡Montaje!" "¡Es un montaje!".

Tardé unos pocos segundos en entender lo que muchas personas entre el público estaban coreando. El cambio había sido tan milagroso que pensaban que ese voluntario era un actor entre el público y estaba interpretando su transformación. Cuando finalmente volví a recibir el micrófono, tanto él como yo aseguramos que esa era la primera vez que nos veíamos. Terminamos el experimento y les agradecí a los dos voluntarios dando así por terminada mi intervención.

Por su parte, los voluntarios esperaron a que todos los que me habían rodeado se dispersaran y otra vez me dieron las gracias. Ambos me dijeron que varias personas del público se les habían acercado después del programa para volver a preguntarles personalmente si de verdad no eran "actores", ya que los cambios que observaron durante la presentación habían sido sólo el resultado de tres aspectos físicos que les aconsejé que modificaran durante esos sesenta segundos de entrenamiento en el escenario.

La respuesta a esa demostración fue tan dramática que comencé a incluirla en cada charla que hacía respecto al tema de imagen personal y credibilidad. Pronto se convirtió en el punto más solicitado para mis conferencias. Las llamadas a nuestra oficina por lo general comenzaban con "estuve entre el público en una conferencia en la que Dianna invitó a unos voluntarios a pasar al escenario...".

Pero a pesar de las buenas reacciones a la conferencia, y aunque había escrito muchos libros respecto a otros aspectos de comunicación, rechazaba la idea de escribir un libro relacionado con ese tema porque consideraba que la "imagen personal" es algo que hay que ver y no algo sobre lo cual leer. Sin embargo, en los años transcurridos desde esa primera demostración en el escenario, constantemente han surgido preguntas de parte de los clientes a quienes entreno, que de tanto contestarlas me llevaron a cambiar de parecer y decidí escribir al respecto.

Después de todo, probablemente sea posible plasmar la esencia de la imagen personal en el papel. Éste es el resultado de ese esfuerzo y tú decides si lo logré o no.

Si tienes este libro en tus manos, probablemente concuerdas con mi definición de líder o de aspirante a líder. Los líderes no se limitan a sí mismos con títulos. Los encontrarás en todos los escenarios de la vida: directores ejecutivos y profesionales de ventas, supervisores de primer nivel y jefes de departamentos, voluntarios ofreciendo su esfuerzo a organizaciones sin ánimo de lucro, soldados sirviendo a su país, propietarios de casas organizando sus comunidades, padres entrenando equipos de niños. Cualquier persona que tenga una misión se convierte en un líder cuando persuade a otros para alcanzar una meta importante.

El propósito de este libro es concretar el concepto de imagen personal y por consiguiente, hacerlo "realizable". Por supuesto, nunca podrás medir su impacto de la misma manera como mides, por así decirlo, el ritmo cardiaco de alguien o su velocidad al correr.

Pero considera por un momento cómo medimos la habilidad de un cantante. Se me ocurre el conocido programa de televisión *American Idol*. ¿Quién es el mejor cantante o intérprete de la temporada? Es claro que, en cierto grado, esas evaluaciones están basadas en opiniones subjetivas de los jurados y los espectadores. Pero en algún punto hay evaluaciones concretas involucradas. Los concursantes deben demostrar cierto nivel de competencia, de lo contrario son descalificados del programa, muchos incluso antes del inicio real de la temporada. ¿Saben o no saben cantar en el tono? ¿Han definido un registro vocal, uno que, según los jurados, sea adecuado o inadecuado para la competencia? ¿Tienen o no la capacidad de mantener un ritmo? Luego, después de lo elemental de las habilidades musicales, la subjetividad entra en escena.

Eso también es cierto en cuanto a la imagen personal que proyectamos. He buscado capturar esos conceptos esenciales respecto al tema, después de los cuales, lo que ves y escuchas depende de la percepción que los demás tengan acerca de tu imagen. Así mismo profundizaré en el campo de lo subjetivo, aquello que afecta las percepciones personales de los demás respecto a tu aspecto personal y credibilidad.

Este libro se divide en cuatro partes:

La primera parte, "Cómo te ves", contiene cinco capítulos relacionados con los aspectos físicos de tu imagen personal: tu apariencia, lenguaje corporal, vestuario, forma de caminar y tus entornos.

La segunda parte, "Cómo hablas", se compone de cinco capítulos respecto a tu calidad de voz, elección de palabras y habilidad para mantener conversaciones entretenidas y significativas.

La tercera parte, "Cómo piensas", habla de cómo procesas tus pensamientos e información y tu forma de expresarlos: tu habilidad para diferenciar lo importante de lo trivial, resumir brevemente y responder a preguntas bajo presión. Esta sección también trata sobre la diferencia entre pensamiento estratégico y pensamiento táctico. Al final encontrarás un capítulo sobre la mejor forma de controlar reacciones y expresar emociones adecuadamente.

La cuarta parte, "Cómo actúas", se refiere a la actitud y los rasgos del carácter que surgen con tu estilo de comunicación, cualidades, hábitos y comportamientos que pueden respaldar o desmejorar una imagen impactante y una credibilidad consecuente con ella.

Como lo mencioné anteriormente, la meta es ayudarte a mejorar tu presencia, así que he procurado ser lo más específica posible con los consejos, técnicas y anécdotas, a fin de lograr que los principios sean entendibles y prácticos. Pero, por favor ten presente que, si bien las anécdotas son verídicas, en cada caso he cambiado los nombres a fin de proteger las identidades.

Si estás leyendo este libro, es muy probable que ya entiendas el poder que tiene el aspecto personal para:

- Persuadir a otros al exponer opiniones y responder preguntas.
- Posicionarte como líder de pensamiento cuando defiendes una causa o un cambio.
- Comunicar temas de forma clara y buscar maneras que involucren a otros tanto intelectual como emocionalmente.
- Ganar la confianza de los demás al demostrar tu integridad y buena voluntad.
- Ganar contratos o lograr ascensos y en general, avanzar en tu carrera.

Pero tu organización también se verá beneficiada. Entre más fuerte sea tu imagen como su vocero empresarial, mejores oportunidades tendrás para representarlos con excelencia, abogar por su causa, vender sus productos o servicios, generar buena voluntad, demostrar integridad y ganar confianza en sus objetivos.

Al terminar esta parte, quiero agradecerle a mi equipo editorial por todos sus esfuerzos apoyando este libro desde la idea inicial hasta llegar a tu biblioteca. En especial, mi agradecimiento va hacia Steve Piersanti, Editor en Jefe, quien "entendió" desde un comienzo y vio que este proyecto podía ser muy diferente a los millones más que tratan el tema de comunicación, habilidades de presentación e interpersonales. Gracias también a David Marshall, Kristen Frantz, Marina Cook, Michael Crowley, Zoe Mackey, Katie Sheehan, Cynthia Shannon, Johanna Vondeling, Maria Aguilo, Catherine Lengronne, Dianne Platner, Rick Wilson, Bonnie Kaufman, Jeevan Sivasubramanian, y Neal Maillet.

Además, una vez más, gracias a nuestro equipo de consultores Booher, quienes generan opiniones entusiasmadas en el mercado. Ellos constantemente aceptan retos de nuevos clientes, desarrollan estrategias y producen resultados que nos ayudan a afinar las mejores prácticas en las muchas facetas que tiene la comunicación personal y organizacional.

Un agradecimiento especial también a Kari Gates y Polly Fuhrman por su asistencia en la investigación y la preparación del manuscrito.

Finalmente, mi gratitud es para con ustedes, los literalmente miles de clientes que nos han dado la oportunidad de trabajar con las estrategias de este libro, escuchar sus opiniones, ver los resultados y sentir la satisfacción de su éxito. ¡De corazón, muchas gracias!

—Dianna Booher

Contenido

CUARTA PARTE: CÓMO ACTÚAS

¿Por qué debes interesarte?

Lydia (no es su nombre real) daba una versión diferente de la historia que yo había escuchado por parte de su socio mayoritario en su firma de abogados en Washington D.C. Ella decía: "Me siento como si estuviera empujando el famoso techo de cristal", dijo. "Sencillamente no me asignan las tareas importantes. Dedico tiempo a mi trabajo y en mis evaluaciones de desempeño, mi director me ha dado las mejores calificaciones en cuanto a actitud y competencia legal y toda esa clase de cosas. Pero no estoy teniendo las oportunidades para entrar en contacto y cerrar tratos con los clientes que generan buenos negocios. Es cierto, estoy en el 'equipo', pero nunca soy la abogada *principal*. Eso es lo que debes hacer para convertirte en socio, lograr buenos contratos. Y estaré fuera si no logro ser socia en uno o dos años".

Hizo una pausa pensativa antes de concluir, "la mayoría de los socios de la firma son hombres. Ya sea algo intencional o no, en serio creo que hay una parcialidad que me está impidiendo estar frente a los clientes. Seguramente es algo que tiene que ver con el género". No era un asunto de género.

Una semana antes, el socio mayoritario de la firma de abogados me había llamado para darme su opinión respecto a Lydia y para explicarme qué esperaba lograr con mi sesión de entrenamiento con ella. El resultado de su llamada fue este: "Lydia es muy competente como abogada y está muy dispuesta a dedicar el tiempo. Pero hasta la fecha hemos vacilado ponerla delante de los clientes o en la Corte. No puedo señalar con exactitud qué es, pero le hace falta presencia y pulimiento. Eso es lo que espero que puedas lograr con ella".

Luego me describió varios síntomas, incluyendo un comentario en especial que todavía recuerdo: "Incluso su forma de presentarse cuando se reúne con todo el equipo por primera vez con clientes potenciales, aminora sus conocimientos y nuestra experiencia como firma. Yo mismo he tratado de darle algunos consejos, pero no recibe bien la retroalimentación".

Cuando vino, aunque venía vestida con traje de calle, típico para su profesión, Lydia parecía estar una década pasada de moda. Además de un frío apretón de manos, su nivel de energía no parecía más arriba de 30 vatios. Su voz también carecía de intensidad. Un surco permanente parecía estar grabado en su frente. Cuando la presenté a otros miembros de mi equipo, no le fue fácil hablar con ellos al reunirse para tomar el café de la mañana. En el momento de preguntarle acerca de sus interacciones con clientes y otros ejecutivos de la firma, vacilaba y no tenía un enfoque estratégico acerca de las metas de la organización. Su respuesta a la mayoría de mis sugerencias eran "sí, pero...", seguidas de una justificación.

Tras los primeros minutos de nuestra sesión de entrenamiento, llegué a la misma conclusión que su jefe: Lydia carecía de imagen y desafortunadamente para su futuro en la firma, no recibía bien la retroalimentación. Lo típico cuando un cliente sale de una sesión de entrenamiento, es que comenta cómo planea poner en práctica las nuevas habilidades e ideas y promete volver a llamar para hablar de los resultados.

Nunca volví a saber de Lydia.

Por otro lado, John, Director Ejecutivo de un gran contratista de defensa aeroespacial, sí se benefició mucho con la realimentación. Al final de una de nuestras sesiones de entrenamiento, John me dijo: "Bien, ahora dime cómo debo vestirme. Soy ingeniero y por lo general no le doy atención a esa clase de cosas. Soy divorciado, así que ya no tengo una esposa que me dé su opinión, pero sé que es importante. Además Kathryn, nuestra Vicepresidente de Comunicaciones, me dijo que debía escuchar tu opinión respecto a la forma de vestir para mi primera reunión con todo el equipo y mi discurso para la conferencia en Alemania. ¿Colores? ¿Abotonarme la chaqueta o dejarla abierta?".

Practicamos la introducción de su discurso de dos horas ante todo el equipo de trabajo, el cual sería una anécdota personal, ya que su meta era marcar la pauta para la nueva dirección de la compañía e inspirar confianza en su capacidad para trazar ese nuevo rumbo.

Las cosas aparentemente pequeñas pueden ser de gran impacto.

Las cosas "pequeñas" pueden hacer una gran diferencia para obtener un empleo, lograr un ascenso, ganar un contrato o guiar a una organización hacia el cambio, como en el caso de John, el nuevo Director Ejecutivo, quien entendió cómo liderar con éxito su organización hasta recuperar su posición como líder de la industria. Él se ganó los corazones y las mentes de su empresa con el primer discurso que le dio a sus empleados acerca del "estado de la compañía", después de haber asumido el cargo.

Durante los seis meses siguientes, cada vez que yo entraba y salía de sus instalaciones, otros ejecutivos, decían que John se había convertido en una celebridad después de su discurso inaugural. Había desarrollado su imagen personal y ésta había tenido un gran impacto sobre él y su organización.

Puede ser difícil definir la imagen o aspecto personal, pero todos la identificamos cuando la vemos. Alguien con buena imagen entra al salón y los demás se hacen a un lado, otros voltean a mirar y las conversaciones se abren para incluirlo. Al hablar, los demás lo aplauden o vitorean. Cuando los individuos con buena imagen hacen preguntas, la gente responde. Cuando ellos lideran, los demás los siguen. Cuando se van, todo es silencio.

Las personas que tienen muy buen aspecto personal se ven seguras y cómodas, hablan con claridad y persuasivamente, piensan claramente aún bajo presión. Actúan intencionalmente, piensan en sus emociones, actitudes y situaciones, y luego se adaptan. Asumen sus responsabilidades y los resultados que obtienen. Son individuos genuinos. Muestran su verdadero carácter con autenticidad. Lo que dicen y hacen concuerda con lo que son.

La Madre Teresa era muy bienvenida y se sentía igual de cómoda en las salas de juntas más importantes del mundo, como si fuera la más elocuente directora ejecutiva, la estrella de cine mejor vestida o la celebridad deportiva más adinerada. Con sólo cinco pies de altura, vestida con su hábito tradicional y pocas posesiones propias, la Madre Teresa por lo menos tenía un secreto que muchos imitadores no conocen. Y desafortunadamente se requiere tiempo para que dicho secreto emerja o brille por su ausencia: carácter.

Durante 45 años, armada únicamente con su integridad, su idioma y su habilidad para hacer que directores ejecutivos sintieran las dificultades de los pobres, la Madre Teresa los persuadía a financiar sus metas: orfanatos, residencias para enfermos terminales, leprarios, hospitales y cocinas de beneficencia. Al momento de su muerte, 123 países en 6 continentes habían sentido su presencia.

Tu imagen personal te ayuda a lograr una cita, conseguir pareja o hacer una venta, a liderar una reunión, un movimiento, una revolución o una nación. Es algo que aparece en todos los segmentos de la sociedad y en todos los niveles de una organización.

La imagen o apariencia personal se puede usar con propósitos nobles o para metas egoístas. Cuando los políticos, atletas, estrellas de cine o gerentes caen en desgracia o comportamientos manipuladores, boicoteamos sus hechos, hablamos mal de su liderazgo y decimos que no tienen clase.

Donde sea que te encuentres y a donde quiera que desees llegar, tu imagen te ayudará a llegar.

Sigo convencida cada vez que pienso que la Madre Teresa estudió a Aristóteles. En el siglo IV él identificó tres aspectos esenciales de la comunicación persuasiva, otro gran componente de la imagen personal:

— La argumentación lógica, que consiste en la habilidad de expresar claramente tus puntos de vista.

— La emoción o la habilidad de crear y controlar emociones entre tus oyentes.

— El carácter, que es la habilidad de transmitir integridad y buena voluntad.

Los tiempos no han cambiado demasiado. Ser un comunicador experto, lo cual es parte importante de la imagen, todavía genera estatus social e influencia. De hecho, la comunicación hace que el liderazgo sea posible en la política, en la comunidad, en el sitio de trabajo, en la familia. Recuerda con qué frecuencia los expertos, al igual que los votantes, hacen notar la capacidad de discurso y habilidades sociales de un candidato, o su carencia de ellas. No sólo esperamos que nuestros presidentes y celebridades hablen bien, sino que esa también se ha convertido en la norma esperada para directores ejecutivos, analistas de sistemas, profesionales de ventas y madres que entrenan equipos de fútbol.

Como lo mencioné en el prólogo, nunca podrás medir la influencia de tu imagen personal de la misma manera como mides, por así decirlo, tu ritmo cardiaco o tu velocidad al correr. Medir el impacto de la imagen personal es más parecido a medir la salud. Por lo general, los médicos pueden revisar los reflejos, hacer un electrocardiograma o una prueba de estrés, revisar los niveles de colesterol, analizar los componentes de la orina y la sangre, solicitar un examen de visión y oído, para luego certificar que alguien no tiene ninguna enfermedad y que está en buena forma física o no. Más allá de lo elemental de la salud física, la subjetividad entra en escena. Las personas compiten entre sí y contra sus propios estándares para vivir saludablemente según los niveles de energía que quieren y los estilos de vida que desean llevar.

Pero en cierto punto hay conceptos de fondo esenciales así como subjetividad.

Eso también es cierto en cuanto a la imagen. Este libro busca capturar esos conceptos esenciales respecto al tema. Pero más allá de estos, lo que ves y escuchas depende de la percepción que los demás tengan acerca de tu imagen. El libro también profundizará en el campo de lo subjetivo, aquello que afecta las percepciones personales de los demás respecto a tu aspecto y credibilidad.

En el trabajo, la etiqueta limitante suele aparecer con la opinión de un supervisor en una evaluación de desempeño o alrededor de una mesa de juntas, al decir que la persona en cuestión carece de "pulimiento".

A menudo, al interior de alguna organización, nos enteramos de grupos enteros de nacientes superestrellas, seleccionadas y puestas aparte para recibir entrenamiento especial o tener mentores; se trata de individuos de los cuales se dicen cosas como: "Ellos son los de mayor potencial. Los hemos identificado con antelación para proyectos importantes y tareas muy visibles ante el equipo ejecutivo. Necesitamos que los ayuden a dar los toques finales".

Aunque son técnicamente competentes, alguien en la alta gerencia considera que necesitan más imagen para el siguiente salto en su carrera. Siempre surgen ciertos elementos en común, rasgos típicos y actitudes entre los candidatos, así como observaciones similares de parte de los ejecutivos que los envían al entrenamiento:

— "Brillante. Pero no muy apreciado. Sencillamente no se conecta con la gente".

— "No siempre usa el lenguaje adecuado, demasiado frívolo y relajado".

— "Extremadamente rígido, siempre parece un tanto nervioso, con la mirada pasmada".

— "Entra con exagerada fuerza. Debe reducir la intensidad".

— "No se viste adecuadamente. No es lo que se le llamaría con clase".

— "Divaga. Sabe lo que hace pero se sale del camino y se va por las ramas con mucha facilidad".

— "Vacilante. Necesita confianza".

— "Muy intenso".

— "Se le dificulta mostrar agilidad en una reunión cuando hay muchas personalidades fuertes en la misma".

Cualquiera sea el comentario, por algún motivo la superestrella se ha estrellado con un muro y no tiene idea de qué es o cómo "arreglarlo". Pero la mayoría de personas es consciente de las ventajas que les genera una mejor imagen. Entienden que la influencia exige presencia personal.

Se les ha dado esta clasificación especial de "gran potencial" junto con la ayuda, no porque ese grupo de personas esté en los lugares bajos de la escala de imagen personal. Todo lo opuesto. Son elegidos para "ser pulidos" debido a que ya están en los primeros lugares de esa escala de buena imagen y han evidenciado muchas destrezas, potencial, compromiso e interés en mejorar su influencia e impactar su organización a mayor escala.

La imagen no es un aspecto del cual se tiene todo o nada. Considérala como una continuidad o un canal como el que ves en el siguiente diagrama, con tus atributos físicos, talentos naturales, habilidades de comunicación y rasgos del carácter ubicados en alguna parte del camino entre un extremo y otro, los cuales producen "baja imagen/bajo impacto" y " alta imagen/alto impacto". A diario todos podemos acercarnos un poco más al extremo superior a medida que nos hacemos más conscientes e intencionados.

Booher Consultants encuestó a más de doscientos profesionales de diferentes industrias para saber por qué deseaban mejorar su aspecto personal y el 48% de los encuestados respondió que sus razones eran "mejorar la credibilidad en la organización" o "vender mis ideas y proyectos". Nuestros consultores han escuchado las mismas razones durante los últimos 30 años al entrenar a clientes individuales.

En nuestra encuesta hicimos esta pregunta: "En general, ¿cómo afecta la imagen personal de alguien en la credibilidad que le tengas?". "Mucho" fue la respuesta del 74,5% de los encuestados.

Entonces, ¿cómo te aseguras de desarrollar esa mística imagen personal?

Entiende que después de todo no hay ningún misterio. Este libro toma el bastón donde lo dejó Aristóteles: ser un comunicador persuasivo conduce a tener credibilidad e influencia. Y esas habilidades y atributos los puedes desarrollar. Si desarrollas tu imagen personal hasta su máximo impacto, es posible lograr el mismo efecto que tienen los directores ejecutivos, las celebridades, los líderes cívicos y cualquier persona de influencia.

Los siguientes capítulos nos darán consejos y técnicas prácticas que te ayudarán a conectarte con los demás y comunicarte con credibilidad, poder y significado. Has oído decir que alguien tiene la "imagen de ánimo" para hacer alguna cosa. Así mismo, este libro cubre los aspectos de imagen mental, física y emocional. Para decirlo en términos sencillos, tu imagen involucra cómo:

— **Luces:** tu lenguaje corporal, cómo estrechas la mano, tus movimientos, tu vestuario, tus entornos.

— **Hablas:** la elección de tus palabras, las cualidades físicas de tu voz y cómo la usas.

— **Piensas y comunicas tus pensamientos:** cómo organizas las ideas y la información, qué decides dejar pasar o retener, cómo formulas los temas.

— **Actúas:** las actitudes, valores, y capacidades que muestran tus acciones.

A medida que mejores tu imagen personal, fortalecerás tu credibilidad y extenderás tu influencia. Con ese impacto más fuerte, mejorarás las posibilidades de lograr tus metas personales y profesionales, así como la misión y metas de tu organización.

IMAGEN PERSONAL

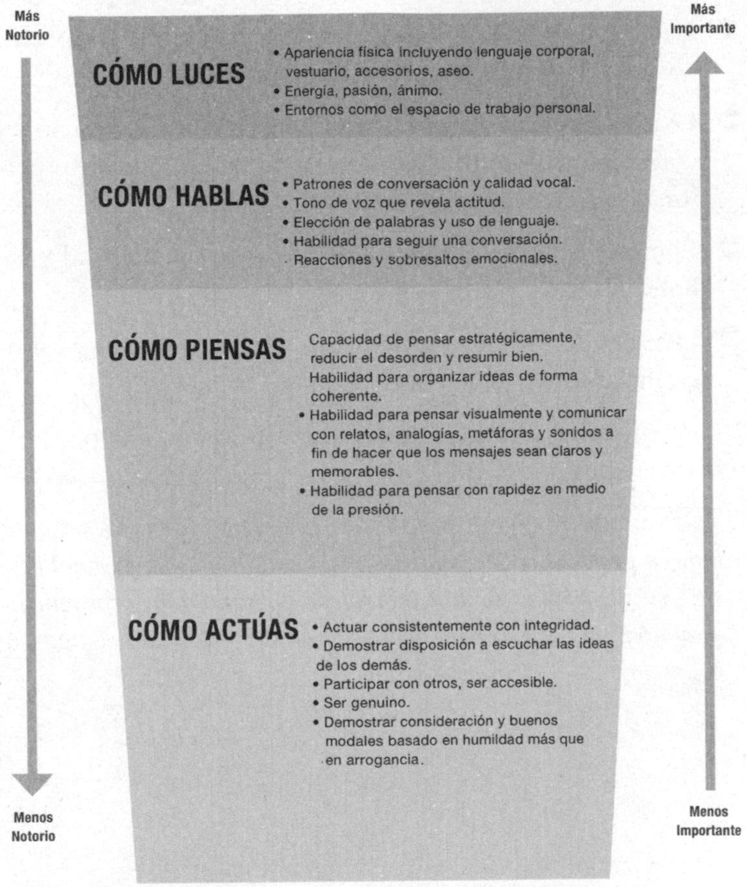

Más Notorio

Más Importante

CÓMO LUCES

- Apariencia física incluyendo lenguaje corporal, vestuario, accesorios, aseo.
- Energía, pasión, ánimo.
- Entornos como el espacio de trabajo personal.

CÓMO HABLAS

- Patrones de conversación y calidad vocal.
- Tono de voz que revela actitud.
- Elección de palabras y uso de lenguaje.
- Habilidad para seguir una conversación.
- Reacciones y sobresaltos emocionales.

CÓMO PIENSAS

- Capacidad de pensar estratégicamente, reducir el desorden y resumir bien.
- Habilidad para organizar ideas de forma coherente.
- Habilidad para pensar visualmente y comunicar con relatos, analogías, metáforas y sonidos a fin de hacer que los mensajes sean claros y memorables.
- Habilidad para pensar con rapidez en medio de la presión.

CÓMO ACTÚAS

- Actuar consistentemente con integridad.
- Demostrar disposición a escuchar las ideas de los demás.
- Participar con otros, ser accesible.
- Ser genuino.
- Demostrar consideración y buenos modales basado en humildad más que en arrogancia.

Menos Notorio

Menos Importante

Tu carácter sirve como el fundamento del canal. Pero tu apariencia es lo que generalmente los demás ven en ti. Al desarrollar tu imagen en las cuatro áreas, mejorarás tu impacto.

Específicamente aprenderás a:

- Pensar con rapidez y bajo presión al exponer opiniones y responder preguntas.
- Reducir el desorden y comunicar temas de forma clara y que involucre a otros tanto intelectual como emocionalmente.
- Ganar la confianza de los demás al identificar pasos específicos para demostrar tu integridad y buena voluntad.
- Usar tu lenguaje corporal para generar compenetración y conectarte con tu público, tu equipo de ejecutivos, tu personal, tu potencial empleador y tus clientes.
- Eliminar lenguaje corporal que afecta tu credibilidad y sabotea tu éxito.
- Usar tu voz y lenguaje para demostrar competencia y calma en lugar de incompetencia y estrés.

Posicionarte como líder de pensamiento con una perspectiva estratégica.

No importa en qué punto nos encontremos en la escala de la imagen personal, todos podemos mejorar. La imagen personal consiste en desarrollar tus habilidades de comunicación, pensamiento y carácter para influir para bien a los demás y ayudarte a alcanzar tus metas.

PRIMERA PARTE:
CÓMO LUCES

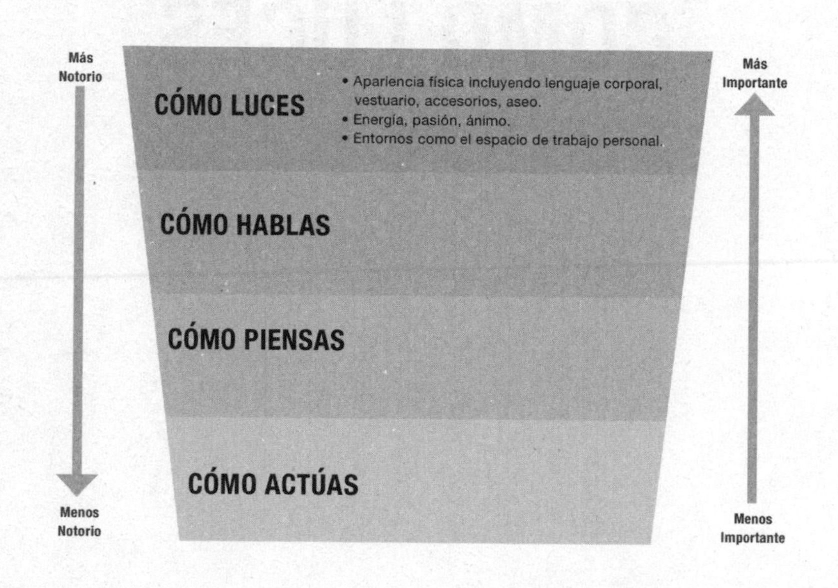
Más
Notorio
CÓMO LUCES
• Apariencia física incluyendo lenguaje corporal, vestuario, accesorios, aseo.
• Energía, pasión, ánimo.
• Entornos como el espacio de trabajo personal.
CÓMO HABLAS
CÓMO PIENSAS
CÓMO ACTÚAS
Menos
Notorio
Más
Importante
Menos
Importante

1

Las primeras impresiones son como el primer amor

"Si en la calle la gente voltea a mirarte, no estás bien vestido".

—Beau Brummel

Nuestro jefe de operaciones me entregó dos carpetas para que hiciera la tercera y última ronda de entrevistas para el cargo de especialista de mercadeo. "En mi opinión, las dos están igual de calificadas", dijo.

La entrevista con Caitlin fue la primera. Atractivamente vestida con un traje de calle, entró a mi oficina revelando un aire de confianza que evidenciaba sus más de 30 años. Me estrechó la mano con firmeza, mantuvo un excelente contacto visual, sonrió con frecuencia, respondió con claridad y resueltamente a mis preguntas y pidió el empleo antes de salir.

Pero yo estaba dispuesta a contratar a mi segunda entrevistada del día, Rachel, ya que venía muy bien recomendada por parte de un colega. Entró a mi oficina sin presentarse ni extenderme la mano con el típico saludo. Decepcionada, decidí ignorar eso, asumiendo que sentía que ya "nos conocíamos" debido a la introducción personal de mi colega. Como era más joven que su competidora, de inmediato me dio razones para creer que esos años podían hacer una gran diferencia. Aunque era bastante agradable en su comportamiento, se ensimismaba. Al responder a mis preguntas acerca de sus metas profesionales y empleos anteriores, habló suavemente y sonaba indecisa, como cuando un estudiante de secundaria le contesta al director de la escuela.

Rachel tenía un título en mercadeo y mi colega la había descrito como "trabajadora, inteligente y confiable". Pero decidí contratar a Caitlin.

Gran error.

Resultó que Caitlin no pudo aprender a utilizar el programa de bases de datos, no hacía buen uso de la gramática al escribir un correo electrónico, fuera de que tenía una deficiente actitud de servicio al cliente. Así que pocas semanas después llamé de nuevo a Rachel y le ofrecí el cargo. Sin embargo tuve mis dudas cuando hablé con ella por teléfono (especialmente cuando me enteré que llevaba más de un año buscando empleo). De inmediato la inscribimos en los programas de entrenamiento que les ofrecemos a nuestros clientes. Aprendió rápido, pues era una estudiante lista y tenía iniciativa para observar a los oradores y profesionales de ventas que venían cada semana a nuestras oficinas. Su lenguaje corporal cambió. Su voz adquirió un aire de autoridad. En pocos meses se hizo cargo de las llamadas de clientes importantes, oficinas de oradores y distribuidores. Casi cada semana recibíamos elogios de parte de personas que hablaban con ella por teléfono y debido a la confianza y elegancia que había desarrollado, literalmente nadie adivinaría que tenía 23 años de edad. Durante los años siguientes y hasta que decidió mudarse, hizo un excelente trabajo para nosotros.

Pero en esta comparación mi punto no es la confianza inicial de Caitlin y la reticencia de Rachel. Más bien, es la apreciación crítica de la imagen personal en la primera reunión.

Esas percepciones son determinantes diarios en las decisiones y acciones en el mundo que nos rodea. Los compradores compran según la apariencia personal y la persuasión de un vendedor. Los negociadores con la presencia personal más fuerte, no necesariamente con el argumento más fuerte, logran los mejores tratos.[1] Por lo general, la gente inicia o rechaza una relación de noviazgo basada en las primeras impresiones. Las organizaciones y las naciones suelen elegir a sus líderes basadas en la forma en que los medios presentan su apariencia personal.

La gente te evalúa rápidamente según tu apariencia pero cambian de opinión muy lentamente. Los investigadores nos dicen que en algún punto entre los primeros once milisegundos y los cinco minutos, la gente emite juicios que no difieren mucho de las impresiones que se generan después de periodos mucho más extensos. Así que en lugar de resistirte a ese hecho, entiende cómo hacer que tu imagen funcione a tu favor y no en tu contra.

Sí, puedes mejorar tu presencia así como Rachel, y la gente *sí* puede cambiar de opinión respecto ti. Pero entre más aprendas estas habilidades y desarrolles estas cualidades, mejor. Cambiar impresiones no es tan fácil como tirar a la basura las viejas tarjetas de negocios y crear una nueva imagen con otras nuevas.

El empaque y la preparación pueden dar excelentes resultados.

Decide cuáles primeras impresiones quieres que perduren y comienza por ahí.

Presta atención a los tangibles

No tienes que ser atractivo, pero esa percepción ayuda. ¿Qué es ser atractivo? Olvida el aspecto de las estrellas de cine. Eso es lo que la mayoría de culturas considera atractivo: un rostro simétrico, un cuerpo proporcionado, piel clara, cabello saludable y dientes derechos.[2]

El empaque y la preparación pueden dar excelentes resultados. Considera la diferencia que hace el empaque en tu disposición a pagar por un artículo, digamos, una aplicación para computadora: si ese programa viene en un disco con una etiqueta en blanco y negro dentro de un sobre de plástico, comparado con el programa que viene dentro de un paquete colorido y bien

...pañado de un plegable, instrucciones y soporte ...s más llamativo?

...atractivo físico conlleva a un mejor pago. Curiosamente, las personas más altas ganan más dinero que las personas más bajas. Tanto en hombres como en mujeres, una pulgada más, aumenta el salario entre 1,4% y 2,9%. Para los hombres una diferencia en altura de 4 pulgadas genera un 9,2% más de ingresos.[3] Según Arianne Cohen, en *The Tall Book*, las personas altas ganan $789 dólares más por pulgada al año.[4]

> La imagen personal tiene mucho que ver con la percepción.

Robert Cialdini, también ha informado acerca de estudios importantes en esa misma área: los candidatos políticos atractivos obtienen más votos. Los criminales atractivos reciben sentencias más suaves. Los estudiantes atractivos tienen mayor atención de los maestros.[5] Pero espera un momento antes de ir donde el cirujano plástico. Aunque la correlación entre aspecto físico y ganancias ha sido evidente por años, estudios recientes llegan a la esencia del asunto: no es *sólo* que las personas atractivas parcialicen a sus jefes. Más bien, el aumento de salarios se puede atribuir a tres cosas: (1)Las personas atractivas son más seguras (aproximadamente el 20% de los casos). (2)Los jefes consideran más competentes a las personas atractivas, así sea una mala percepción (alrededor del 30% de los casos). (3)Las personas atractivas tienen ciertas destrezas, como habilidades de comunicación y sociales, que les permiten interactuar bien (cerca del 50% de los casos).[6]

Todas esas son buenas noticias. No necesitas un cirujano plástico para desarrollar confianza, enseñar comunicación o mejorar tu interacción social. (Además, todos esos secretos los trataremos en las siguientes páginas).

Y, obviamente, no puedes aumentar tu altura. La apariencia personal tiene mucho que ver con la percepción. Para que te perciban como más alto, párate alto, camina, habla y siéntate alto ajustando tu postura y haciendo gestos amplios. Usa colores sólidos para que no te "dividas en dos" en la cintura. Mujeres, si están usando una chaqueta con un color que contraste, asegúrense que la blusa o prenda que vaya debajo de la chaqueta coincida con los pantalones para que cuando tengan la chaqueta abierta sigan teniendo un color sólido desde el cuello hasta el tobillo, lo cual alarga su apariencia. Hombres, usen trajes a rayas para dar una apariencia más larga.

Como lo dice el dicho, el atractivo o la belleza están en los ojos del espectador. Alista tu apariencia para lograr la mayor ventaja: buena presentación; estilo de ropa y colores que complementen tu contextura física, ojos, piel, color del cabello; estilos de cabello que complementen la forma de tu rostro; maquillaje que complemente tu color natural.

Entiende qué funciona y qué no. A continuación hay varias sugerencias útiles:

- Visita a un buen sastre. Manda a hacer un buen traje y lleva una lista de preguntas para hacer mientras eliges las telas y te toman las medidas. A los sastres les encanta compartir su conocimiento. Permíteles decirte qué estilos funcionan mejor para tu tipo de cuerpo. Pídeles recomendaciones respecto a la tela y el color, explica qué actividades realizas, cuál es tu trabajo y en qué industria te desempeñas, (si viajas o no, si eres conservador o no, si estás activo o sentado todo el día). Pregunta cómo puedes diferenciar un traje de calidad de una imitación barata y deja que te den consejos para la compra de accesorios.

- Busca en tiendas exclusivas de ropa, donde hay asesores personales para los compradores, para que te aconsejen mientras pruebas algunos trajes, así no compres ahí. Pregunta respecto a al ajuste y los mejores colores para tu tono de piel y cabello.

- Considera buscar la ayuda de un consultor de imagen, una o dos horas de asesoría logran hacer maravillas. Tres ejemplos excelentes son los consultores de imagen Sandy Dumont, Janice Hurley Trailor y Valerie Sokolosky. Para entender la diferencia que hace el vestuario, visita algunas páginas de internet para ver fotografías de esa clase de "cambio de imagen" (www.expertwardrobeconsultant.com para fotos publicadas por Sandy Dumont, y www.JaniceHurleyTrailor.com para más fotos). Tienen excelentes resultados. Ambos sitios tienen muchos recursos que ofrecen buenos consejos para todo, desde corbatas hasta el tipo de zapatos y las uñas. También encontrarás en tu zona consultores de imagen bien preparados.

➲ Pídele a un amigo de confianza o colega, que siempre se viste bien, que te comparta sus secretos y te dé consejos respecto a tu ropero. Probablemente conoces a alguien que siempre parece estar vestido con la ropa más costosa y con muy buenos accesorios, y con frecuencia recibe elogios de parte de sus colegas. Dile a esa persona que admiras su gusto y que te gustaría conocer sus "normas" y "tabús" para las compras y elección de ropa. Te aseguro que tienen algunas, y sospecho que se sentirán halagados de compartirlas contigo.

Vístete para tomar decisiones

Vístete para el papel que quieres jugar. Algunas personas se sorprenden al descubrir la importancia del vestuario en la evaluación de las capacidades personales. Pero piensa en tu reacción ante aquellos que prestan servicios de reparación, los que llegan a tu puerta usando uniforme comparados con quienes llegan desaliñados a trabajar en tu tubería. Cualquiera que haya viajado mucho con una aerolínea o se haya hospedado en un hotel de calidad, te puede decir la diferencia entre el servicio que reciben cuando viajan vestidos con ropa de apariencia costosa y cuando viajan con ropa casual.

Basada en casi dos décadas entrenando a ejecutivos y entrevistándolos con respecto a sus subordinados, te puedo decir qué aspectos de la manera de vestir reduce la confianza en ciertas personas:

- "Usa la corbata muy floja, no se abotona el cuello. Y el cabello le cae sobre la frente. Se ve despeinado".
- "El cuarto botón de su manga nunca está abotonado. Tiene que ver con prestar atención a los detalles".
- "Zapatos con punta descubierta. Somos un complejo hotelero y sé que hace calor. ¡Pero ella es la gerente del hotel! Ella sabe que eso no es aceptable para un ejecutivo".
- "Ella tiene una muy buena experiencia. Tiene trescientos subordinados. Es muy apreciada. Pero usa estampados de pieles exóticas en eventos elegantes, en lugar de ser más clásica y tener más clase. Necesita ayuda con su vestuario de ejecutiva".
- "Es inaceptable que alguno de mis vendedores se presente usando una camiseta tipo polo. No me importa que sea un evento casual en una feria comercial, lo enviaré de vuelta a su habitación para que se cambie de ropa. Si vuelve a suceder, está despedido".

El vestuario importa. Considera los trucos de los estafadores. La mayoría tiene que ver con un vestido, un uniforme o algo que transmite autoridad, como un uniforme de policía o de guardia de seguridad, un uniforme militar, un traje de calle y todos los accesorios de un magnate viajero. Estos timadores se aprovechan de ancianos, jóvenes y de inocentes, usando ropa que comunica credibilidad al mostrarse como alguien de autoridad. Un esquema común es presentarse como un inversionista adinerado en busca de socios, o como un inspector de bancos solicitando un número de cuenta confidencial o clave, pidiéndole a veces a su víctima que retire dinero de su cuenta para ayudarlo a "atrapar al sospechoso". El uniforme suele hacer que el truco tenga efecto.

Además de la forma de vestir, considera todos los accesorios que completan el cuadro: bolso de mano, joyería, instrumentos de escritura, maletines. Los maletines abultados dicen "yo hago todo el trabajo". Los maletines delgados dicen "yo asigno el trabajo".

Gilda Radner jocosamente bromeó diciendo: "Baso mi sentido de la moda en lo que no da comezón". Puedes decir que en realidad no importa si es Gucci o Gap, maquillaje o no, peinado o despeinado, arrugado o planchado, lustrado o rayado, jeans o trajes. Pero sí importa.

Si eres un millonario como Bill Gates o Warren Buffett, puedes usar lo que se te antoje. Pero mientras no tengas su nivel en el mundo de los negocios, comienza jugando según las reglas del juego.

"Pero quiero estar cómodo", suele decir la gente. No hay problema. La comodidad y la credibilidad no son mutuamente excluyentes. De hecho, quienes no se sienten cómodos se van a ver incómodos y nerviosos, perdiendo credibilidad en el proceso. Haz que tu meta sea vestirte bien y cómodo.

La investigación confirma la importancia que tiene el vestido y el aseo sobre la influencia de tu apariencia personal y credibilidad. Ignórala o benefíciate con la información, tú eliges. Pero así te guste o no, los demás toman decisiones importantes sobre ti basados en tu forma de vestir.

Considera el contexto de los pequeños actos de servicio

Durante el almuerzo en una sesión de entrenamiento con Catherine, una Vicepresidenta de una gran compañía aeroespacial, le pregunté respecto a su ascenso en la organización. Estando sentadas en su sala de conferencias privada, mientras comíamos nuestras ensaladas, ella me relató una poderosa lección que aprendió en una empresa dominada por hombres. El escenario fue el primer almuerzo al que ella había sido invitada después de ingresar a la compañía. Ella y siete compañeros de trabajo varones estaban sentados alrededor de una mesa en un auditorio grande. Después de terminar la cena, ella se levantó y se dirigió hacia un mostrador lateral, llevando su plato en la mano.

Una mesera mayor le quitó el plato de las manos a Catherine. "Nunca vuelva a hacer eso".

"¿Hacer qué?". Preguntó Catherine.

"Limpiar su propia mesa. Eso no se ve bien".

En ese punto, según Catherine, miró a su alrededor y observó que sus siete colegas simplemente se habían levantado y alejado de la mesa sin nada en las manos. Muy pronto aprendió la importancia del contexto para fijar una imagen.

Pero servir tiene tanto poder como ser servido, precisamente como lo demostró Catherine al servirme el almuerzo en su sala de conferencias ese día. La imagen viene de señales intangibles de la apariencia personal. Pequeños actos de confianza, comodidad y cortesía. Hacer y decir lo correcto en el momento adecuado.

La apariencia personal implica saber cuándo servir y cuándo dejar que otros te sirvan. El servicio no se trata de estatus, como erradamente lo había asumido la mesera. Sino que se trata de cortesía, amabilidad, actitud, metas y tiempo.

Verifica tus entornos

Tu presentación personal se extiende desde tu lugar de trabajo. Cuando alguien llega a tu área de trabajo, ¿tu entorno le dice "una persona competente y segura trabaja aquí"? O por el contrario, "¿la persona que trabaja aquí está agobiada, es desordenada y no tiene capacidades?".

Considera cada artículo que tienes en tu espacio de trabajo: tazas de café, tarjetas de negocios, material de mercadeo, área de recepción, paredes, fotografías, muebles (escritorio, silla, tapetes, pinturas, lámparas). Las sillas con espaldar alto comunican estatus, aunque pueden ayudar a disminuir a una persona de baja estatura. Las sillas giratorias con brazos te dan más presencia que las estáticas.

Considera las primeras impresiones como al primer amor, rara vez los olvidas.

Piénsalo de esta manera: llamas a un plomero para que haga unas reparaciones y esperas que en su camión tenga las herramientas adecuadas para hacer el trabajo. Cuando ese no es el caso, sospechas que no está muy ocupado y por lo tanto es probable que hayas llamado a la persona equivocada. La gente hace las mismas observaciones con respecto a tus capacidades cuando miran tus herramientas y tu lugar de trabajo.

Organiza el escenario para atraer

Considera cómo controlar las percepciones al moverte, sentarte, ponerte de pie o hacer exposiciones en tu lugar de trabajo y en tus salones de reuniones de costumbre. Las investigaciones han comprobado que el lugar donde la gente se sienta determina si los oyentes le están prestando atención a la charla o no. Entre más lejos estén del orador, es más negativo, hay más confrontación y menos recuerdan los oyentes. Entre más cerca estén al orador, más interesados estarán.[7]

Para aprovechar esta dinámica en todos nuestros programas de entrenamiento de Booher ordenamos las sillas en forma de "herradura", pues queremos propiciar la interacción de los participantes y que se involucren unos con otros así como con el facilitador. Si estamos haciendo el esfuerzo de realizar un seminario, la organización de las sillas es lo más fácil de controlar para lograr el máximo impacto.

La altura aumenta la presencia y puedes organizar el escenario antes que comience la discusión.

Si eres una persona de corta estatura entre compañeros altos, no te sientas obligado a permanecer sentado durante una "presentación sentada". Encuentra alguna razón para ponerte de pie. Camina hacia la pared y ajusta el termostato. Camina hacia el tablero y escribe una palabra clave. Proyecta una diapositiva y señala algo en la pantalla por un momento. Luego, mientras caminas hacia la mesa, sigue de pie mientras terminas tus sugerencias.

En medio de una discusión, sólo ponte de pie y te sorprenderá cómo los demás te darán la palabra de nuevo por que tienes la ventaja de la altura. Si un compañero de trabajo más agresivo tiende a intimidarte, asegúrate de ofrecerle la silla más baja en el sofá y toma tú el taburete más alto.

Si quieres mejorar tu presencia en una reunión, toma la silla en cualquiera de los extremos de la mesa. Las segundas mejores posiciones están a la izquierda o la derecha de los extremos de la mesa. Sentarse en los ángulos adecuados de otra persona o equipo (en lugar de estar al otro extremo de la mesa) te da dos ventajas: presencia y accesibilidad. No hay barreras entre ustedes y estás lo suficientemente cerca como para mirar a los ojos para mejorar la compenetración o echarte hacia atrás para ganar más autoridad.

Aumenta la participación para cambiar opiniones

Puedes estar preguntando: "¿Cómo puedo cambiar una primera impresión? Es decir: ¿Cómo puedo mejorar mi imagen personal ante quienes ya me conocen?".

Respuesta: juega a los números.

Permíteme explicarte otros datos interesantes de varios estudios sobre primeras impresiones: cuando alguien ya ha definido una impresión respecto a ti, rara vez cambian su opinión, incluso si después te presentas con información nueva y opuesta.

Considera a las primeras impresiones como al primer amor, rara vez los olvidas. Dicho eso, tómalas en serio. Si sabes que los primeros encuentros van a ser importantes (como en el caso de entrevistas de trabajo, llamadas de ventas, discusiones de potenciales alianzas, eventos importantes para el establecimiento de contactos), haz que valgan. Prepárate.

Y si ese "primer amor" se ha echado a perder y necesitas restablecerte y mejorar tu presencia en una organización, eso quiere decir que necesitas aumentar tu exposición. Crea más "primeras impresiones" con otras personas, y crea "primeras impresiones" adicionales en nuevos entornos con tus compañeros de trabajo actuales. Permíteles verte en otros entornos, manejando nuevos proyectos, con mayor imagen. Ellos necesitan más tiempo y nuevas situaciones para tener una perspectiva diferente.

Cuando entres a un salón, evalúa la escena. Espera que los demás hagan lo mismo. Cuando la gente te evalúe, acepta inspección con la mirada. La meta no es un comportamiento calculado ni manipulación, sino una consciencia de la importancia de mostrar lo mejor de ti. Organiza el escenario para tener la mejor ventaja, y luego preséntate bajo la mejor óptica con múltiples instantáneas.

2

Ocupa un lugar

"El arte de la comunicación es el lenguaje del liderazgo".
—James C. Humes

Considera una escena dramática en tu película de acción favorita. Digamos que un misil acaba de impactar Times Square el martes en la tarde. O dos autos han chocado de frente, estallado en llamas, rodado sobre un terraplén y caído sobre un barco de turistas atracado en el puerto que está abajo. O probablemente dos recién casados han decidido que en la guerra y en el amor todo vale así que empiezan a lanzarse cuchillos en el vestíbulo del banco mientras esperan que el cajero abra su caja de seguridad.

Elige una escena y sígueme: los transeúntes gritan, algunas personas se dispersan y se agachan buscando protección y otros se reúnen y miran lo que está sucediendo. Pronto se forma una multitud, los espectadores empiezan a gritar en todas las direcciones. El caos reina.

Luego nuestro héroe o heroína se abre paso en medio de la gente para llegar al centro de la acción y se hace cargo: "Llamen una ambulancia. Llamen a la policía. Aseguren el área. Establezcan comunicación con los cuarteles generales". La gente se organiza y el caos se convierte en orden.

En una nota diferente, imagina a alguien tratando de asumir el control de la misma escena pero desde los extremos. En el caso del misil impactando Time Square, ¿puedes imaginarte a la multitud siguiendo órdenes de un comandante de SWAT sentado en Amarillo viendo el impacto en televisión? ¿O puedes imaginarte a un policía tratando de ocuparse del choque de autos desde la comodidad de la estación de Policía? ¿Qué tan efectivo crees que puede ser un familiar de los recién casados al tratar de separarlos, si llama al teléfono móvil de ella desde el supermercado, para intervenir entre ellos y pedirles que bajen sus armas y se calmen?

Si te pudiste imaginar las contrastantes escenas y las dificultades que las personas fuera de control pueden tener para controlarse y entrar en contacto con la multitud, sabes lo que es intuir que "el grande se hace cargo". Parte de tu imagen personal es sólo ser visible. Es por eso que se llama "imagen".

Parte de tu aspecto personal es sólo ser visible. Es por eso que se llama "imagen".

Aumentas tu imagen al ocupar un espacio. Literalmente. Desde luego, no todos podemos ser tan altos como mi colega orador Mark Eaton, ex jugador de los Jazz de Utah. Cuando él está reuniendo a un grupo de amigos en el vestíbulo de un hotel para ir a cenar, no es difícil encontrarlo en medio del tumulto. Pocos pueden igualar sus 7 pies con 4 pulgadas de altura y sus 290 libras de peso, ni dentro ni fuera de la cancha de baloncesto.

Pero la visibilidad implica mucho más que simplemente la altura. De hecho, usualmente, después de un discurso, cuando la gente me ve fuera del escenario, suele decirme: "Ah, pensé que eras mucho más alta". (Cabe aclarar que mi altura es de 5 pies con 3 pulgadas). Piensa en esto como lo opuesto al síndrome de timidez excesiva. Tenemos muchos dichos para ilustrar este principio de "visibilidad": "Llega al meollo del asunto". "Si quieres liderar, quédate al frente".

El fallecido Hal Persons, entrenador de actuación de algunas de las mejores estrellas de todos los tiempos, usó este ejercicio cuando entrenamos a los presentadores corporativos de IBM y en otras partes: "Imagina que eres una bombilla. Introduce energía desde la parte superior de tu cabeza. Haz que la luz aparezca". Trata de usar ese concepto cuando estás hablando. ¡Eso hace que te pares más alto y que irradies energía por cada poro de tu cuerpo!

Hace muchos años, la firma de corretaje E.F. Hutton (que ahora es parte de Citygroup) usó un anuncio comercial en televisión que tuvo un gran efecto: la publicidad mostraba a dos compañeros de trabajo conversando en un lugar público como un restaurante o esperando un elevador, y uno le decía al otro: "Mi corredor es E.F. Hutton, y él dice...". Y la gente que estaba escuchando casualmente la conversación, se detenía de inmediato para escuchar intencionalmente.

¿Puedes decir que causas el mismo efecto cuando hablas? Si no es así, ¿qué lo lograría? Considera las siguientes formas de llamar la atención de los demás al tú "subir al escenario".

Adquiere protagonismo

Imagina el escenario de un gran salón de conciertos antes que comience el programa. En el auditorio se oye el murmullo de la conversación de los espectadores mientras esperan y se saludan entre los pasillos y los miembros de la orquesta afinan sus instrumentos. Luego el maestro hace una gran entrada por la izquierda del escenario. El público se calla. El maestro sube a la plataforma del director en el centro del escenario y se inclina ante el público. Se oye un estruendoso aplauso mientras los simpatizantes anticipan su entretención para la tarde. El maestro voltea hacia la orquesta, levanta su batuta, la sostiene en el aire y hay silencio total.

En ese momento, todos los ojos están fijados en el maestro. Como líder, no tendría el mismo efecto si dirigiera desde otra posición que no fuera el centro y al frente.

Proyecta tu presencia física hacia los asientos más lejanos, e incluso los que están más cerca también se involucrarán contigo.

Lo mismo es cierto para los comandantes en la batalla. Los mejores no *mandan* a sus soldados a la batalla, los *lideran* hacia la batalla. Eso es cierto en cuanto al liderazgo en cualquier proyecto: los líderes con apariencia personal no se quedan de pie a un lado, mirando lo que sucede; sino que se ponen de pie al frente y en el centro y hacen que las cosas se den.

Proyéctate hacia las sillas más lejanas

Cuando tengas la atención de todos, cuando todo esté silencioso, cuando todo el mundo te esté mirando, te sentirás tentado a dirigirte a quienes están más cerca de ti, aquellas personas que están sentadas justo frente a ti. Pero no lo hagas. Si lo haces reducirás tu estatura. El director de orquesta no puede darse el lujo de permitir que su energía vacile al dirigirse únicamente a los instrumentos que están directamente en su línea de visión, forzando a quienes están en las secciones más lejanas a estirarse para verlo. Más bien, él sigue de pie, completamente erguido, para ondear sus brazos completamente estirados y así señalar e introducir al trombón o al contrabajo justo en el momento indicado.

También mejorarás tu presencia si constantemente te proyectas hacia los que están más lejos. En lugar de dirigir tu mirada hacia las caras amigables frente a ti, háblales a quienes están sentados en la última fila, en la última silla. Al tener en cuenta a esas personas, tu cerebro automáticamente ajustará tu nivel de energía, tu voz y lenguaje corporal para que lo proyectes a fin de que puedas atraer a quienes están lejos. Proyecta tu presencia física hacia los asientos más lejanos, e incluso los que están más cerca también se involucrarán contigo.

Haz una pausa antes de comenzar

Hablar de inmediato te hace ver nervioso. Ya sea que estés dejando tu silla para pasar al frente de un salón de conferencias, simplemente poniéndote de pie en la mesa de juntas o uniéndote a una conversación cuando alguien pida tu opinión, haz una pausa antes de comenzar.

Hacerlo te prepara para evaluar y controlar la situación. Ojea el salón o el grupo por un momento, considera qué es lo que más le interesa a las personas a quienes te diriges. Nunca permitas que las primeras palabras que pronuncies sean una frase suelta. Como esas frases de lenguaje confuso y sin sentido que la gente murmura al comienzo de una intervención antes de poner en marcha su cerebro, que indican falta de preparación: "Buenos días. ¿Cómo va todo hasta ahora?". "Lamento que hayamos comenzado un poco tarde". "Probablemente esto no tenga mucho sentido, pero permítanme lanzar algunas ideas". Tales frases sueltas suenan como si estuvieras practicando las escalas antes de comenzar el concierto de verdad. (Para tener sugerencias respecto al uso y ubicación de comentarios introductorios apropiados agradeciendo y reconociendo a las personalidades importantes que se encuentren entre el público, mira mi libro anterior *Speak with Confidence: Powerful Presentations That Inform, Inspire and Persuade*).

El mayor beneficio que hay al hacer una pausa es que genera expectativa respecto a lo que tienes que decir. Una pausa larga dice: "Aquí vienen palabras de gran importancia. Escucha atentamente. No sólo voy a abrir la boca para parlotear".

Así que no defraudes.

La imagen personal tiene mucho que ver con cómo estás presente. Intencionalmente puedes mejorar tu espacio físico y en los recuerdos.

3

Canaliza la pasión

"Sin pasión, no tienes energía; sin energía, no tienes nada.
Sin pasión, nada grandioso se ha logrado en el mundo".
—Donald Trump

¿Alguna vez has escuchado a un amigo que, mientras te habla acerca de un divertido fin de semana, comienza a reírse? Te ríes al ver cómo se divierte mientras explica la escena sin que hayas entendido completamente el punto de lo sucedido. Ya te estás riendo con él aún antes de que haya llegado a la parte clave de su historia. En otras palabras, es *su alegría*, así como su historia, lo que te entretiene.

De la misma manera, tu pasión por una idea o tema, genera interés en los demás. Frecuentemente escuchas a otros decir: "Ella tiene entusiasmo por la vida". "Él tiene una pasión por la vida que es contagiosa. No puedes evitar sentir optimismo cuando estás cerca de él". La pasión se refiere a un sentimiento intenso, algo palpable. Puedes estar apasionadamente enfadado, o apasionadamente feliz, o apasionadamente enamorado.

Por otro lado, ¿alguna vez has sentido un ambiente tenso al entrar a la casa de alguien, como si todos estuvieran "a punto de explotar" por alguna razón que no conoces? Y más tarde, un miembro de la familia te explicó que habían discutido justo antes que llegaras. Como dice el dicho, la tensión era tan densa que podrías cortarla con un cuchillo.

"Quienes controlan su pasión y hacen que obre a su favor, tienen imagen. Quienes no controlan su pasión, parecen adolescentes emocionados y nerviosos. Quienes no tienen nada de pasión, no tienen imagen".

Probablemente has estado en reuniones similares en tu trabajo.

Así mismo, quienes te rodean pueden sentir tu pasión en tu imagen personal. Rebosa por los poros de tu piel y fluye con tu lenguaje corporal.

Quienes *controlan* su pasión y hacen que obre a su favor, tienen imagen. Quienes *no controlan* su pasión, parecen adolescentes emocionados y nerviosos. Quienes no tienen nada de pasión, no tienen imagen.

Sin duda los niños escolares tienen familiaridad con el discurso "Tengo un sueño" de Martin Luther King Jr., y por muchas razones se usa como modelo en clases de oratoria. Pero, para nuestros fines, considera estas frases para observar la pasión del Doctor King:

> *Sueño con que algún día esta nación se levante y viva el verdadero sentido de su credo: "Sostenemos estas verdades para que sean evidentes por sí mismas: que todos los hombres son creados iguales.*
>
> *Sueño con que algún día en las montañas rojas de Georgia los hijos de antiguos esclavos y los hijos de los antiguos dueños de esclavos, puedan sentarse juntos a la mesa en hermandad.*
>
> *Sueño con que algún día incluso el Estado de Misisipi, un Estado sofocado por el calor de la injusticia, sofocado por el calor de la opresión, sea transformado en un oasis de libertad y justicia.*
>
> *Sueño con que mis cuatro hijos algún día vivan en una nación donde no sean juzgados por su color de piel sino por el contenido de su carácter.*

Sir Ken Robinson dijo las siguientes frases con pasión (y con mucha menos elocuencia) al expresar que creía que las escuelas matan la creatividad de los niños:

Ellos (los niños) ahora tienen miedo a equivocarse. Y, a propósito, administramos de la misma manera nuestras empresas. Estigmatizamos los errores. Y ahora dirigimos sistemas nacionales de educación en los cuales lo peor que puedes hacer es cometer un error. Y el resultado es que estamos educando personas sin sus capacidades creativas. En una ocasión Picasso dijo: 'Los niños nacen artistas, el problema es seguir siendo artistas a medida que crecemos'. Eso lo creo apasionadamente, no crecemos en creatividad, la vamos perdiendo. O, mejor dicho, nos educan para perderla.[8]

Pero no tienes que escuchar las palabras para imaginarte la diferencia en su impacto e importancia. Tres claves diferentes marcan el grado de pasión manifestado en nuestra presencia.

- Camina con propósito.
- Añade color a tus historias.
- Siente los gestos.

Camina con propósito

Opuesto al título del libro clásico de Maya Angelou, la gente no sabe por qué el ave enjaulada canta o camina. Y eso los distrae. Así que omite los movimientos nerviosos, errantes y no arrastres los pies. Al exponer, algunas personas inconsciente y repetidamente van y vienen del computador portátil a la pantalla y a la primera fila. Otras comienzan paradas detrás del atril, se ubican al lado del mismo, descansan el codo en el borde durante treinta segundos y luego vuelven a pararse detrás del atril, sólo para repetir el proceso una y otra vez durante su charla. Otros deambulan de un lado al otro del salón haciendo un arco y luego vuelven sobre sus pasos repetidamente durante toda su intervención.

> "La posición en un estrado es a una presentación lo que un párrafo es a una página".

Si le preguntaras a cualquiera de ellos por qué van y vienen, no estarían conscientes de sus movimientos alrededor de salón. Hacen el paso de la jaula casi de la misma manera como otros se agarran las manos o aclaran su garganta una y otra vez.

Pero esos movimientos repetitivos y el arrastrar los pies envían un mensaje claro a los espectadores: "Estoy en piloto automático. No estoy presente con ustedes". Literalmente has perdido tu imagen cuando te mueves distraídamente.

Para que el público sienta mejor tu presencia, muévete a propósito. Quédate quieto para presentar un punto importante. Durante la transición, camina intencionalmente hacia un nuevo punto. Quédate quieto y expresa tu nuevo punto. La posición en un estrado es a una exposición lo que un párrafo es a una página. Tu público sentirá que estás presente en el momento de exponer ese punto.

Añade color a tus historias

Cuenta historias con gusto; lleva a tus interlocutores a imaginar una situación al crear escenas.

Las familias tienen historias divertidas que disfrutan año tras año a costa de familiares de buen humor y bromas pesadas que hacen el tío Jerry o el abuelo Max. Una de esas historias en nuestra familia gira alrededor de la costumbre que tiene mi madre de crear centros de mesa para las cenas de celebraciones.

Cerca de dieciocho familiares nos reunimos en casa de mis padres para la cena de Acción de Gracias en mi primer año de matrimonio. Los elogios de costumbre abundaron hacia mi madre con respecto a la cena y al centro de mesa, el cual estaba bordado con las usuales piezas en forma de maíz dulce de color naranja y amarillo para conmemorar la temporada.

Al sentarnos a la mesa, Kevin, mi cuñado bromista, le dijo a mi esposo: "Esos dulces no sólo se ven bien, también saben muy rico".

Con el deseo de darle una buena impresión a su suegra, mi esposo tomó un dulce de maíz, se lo introdujo en la boca y de inmediato se rompió un diente.

El dulce era de plástico.

Aunque es una historia muy breve, ¿la viste? ¿Escuchaste las risas? De todos excepto mi esposo, claro está. Año tras año contamos esa historia con la misma diversión.

Los directores de cine entienden la importancia de escenificar una historia, el fondo, el vestuario, los efectos de sonido. Así mismo, cuando hables delante de un grupo, considera que lo que estás diciendo es trascendental para el punto que quieres dar a entender. Es difícil ser más interesante y más emocionante que lo normal en un estadio de fútbol americano. Por esa misma razón, es difícil proyectar calma con voz controlada mientras gritas por tu teléfono móvil desde un ruidoso avión.

El presidente toma tiempo decidiendo si dar un discurso desde Rose Garden o en las gradas de una escuela primaria, porque sabe que el escenario, junto con todos sus detalles, es importante. Considera la pasión con la que relatas una historia, la escena, los detalles y el diálogo, pues es esencial para darle riqueza y textura a tu mensaje.

Siente los gestos

¿Alguna vez has tratado de aprender un idioma extranjero? De ser así, entiendes la diferencia entre quienes hablan con tanta fluidez un segundo idioma, que piensan en ese idioma, comparados con quienes tienen que

"Los gestos no son adiciones. Los gestos transmiten tu mensaje al mismo tiempo y con el mismo impacto que tus palabras. Deben ser parte de tu vocabulario silencioso pero fuerte".

pensar primero en su lengua materna y luego "traducirlo" al segundo idioma antes de poder decirlo. Es una gran diferencia. En gran parte, yo clasifico en ese segundo grupo con mi segunda lengua. Cuando viajo a Suramérica, tardo toda una semana para empezar a "pensar" en español. Escuchar el español es un proceso lento para mí durante los primeros días, traduzco a inglés, pienso la respuesta en inglés y luego vuelvo a traducir y doy la respuesta en español.

Figura 1. Los gestos reducidos y dentro de la caja tienen poco impacto.

Quienes pasan por ese mismo proceso con los gestos, sin duda tienen un problema de imagen.

Las personas que dicen que gesticulan al hablar, sencillamente se han ahogado a sí mismas y se han vuelto artificiales. En otras palabras, pasan por un proceso de "traducción" de lo "natural" a lo artificial. Han eliminado todos los gestos naturales que ayudan a transmitir su mensaje. Cuando entienden cómo se ahogan o se "traducen" a sí mismos en un tema o entorno de "negocios", comprenden la gran diferencia que hay entre la pasión y los niveles de energía entre su yo "natural" y su yo "artificial".

Los gestos no son adiciones. Los gestos transmiten tu mensaje al mismo tiempo y con el mismo impacto que tus palabras. Deben ser parte de tu vocabulario silencioso pero fuerte.

Figura 2. Los gestos amplios e intencionales tienen un fuerte impacto.

Las personas con imagen sienten lo que dicen. Y ese sentimiento se manifiesta con su lenguaje corporal. ¿Cómo sienten los demás la pasión?

- La cara del orador se "conecta" con las palabras, sonriente, preocupado, muy inquieto, sorprendido, emocionado, decepcionado, lo que sea.
- La postura del orador está alerta, listo para entrar en acción, listo para responder preguntas y dar otra información, confrontar, avanzar hacia otras áreas de interés. El orador se pone de pie en posición de "listos ¡ya!", con el peso balanceado en el centro de sus pies.
- Los gestos son a propósito y con significado. El orador saca sus manos "de la caja". En lugar de hacer gestos breves, directamente frente al tronco de su cuerpo (ver figura 1), los gestos apasionados son amplios: grande, arriba, afuera, firmes (ver figura 2). Levantar tus brazos por encima de los hombros crea un gesto más poderoso e inclusivo que si lo haces por encima de los codos o las muñecas. En general, entre más grande el salón, más amplios deben ser los gestos, los cuales no deben ser coreografiados; se dan naturalmente cuando sientes pasión por tu mensaje.

Entonces, ¿dónde será tu próxima conversación importante? ¿En un elevador? ¿Al lado del escritorio? ¿En un salón de conferencias? ¿En un avión? ¿Una teleconferencia? ¿En un seminario en línea? ¿En un pasillo? ¿Un auditorio? Tu presentación entusiasta de una idea en cualquiera de esas situaciones, aumentará tus probabilidades de cautivar a otros. En pocas palabras, la pasión genera una buena imagen.

4

Convierte tu lenguaje corporal en credibilidad

"El lenguaje corporal es una herramienta muy poderosa. Tuvimos lenguaje corporal antes de poder hablar".
—Deborah Bull

El Doctor English, quien ha sido el cardiólogo de mi padre durante los últimos veinte años, en dos ocasiones e instintivamente usó su lenguaje corporal para respaldar sus palabras a fin de lograr dos efectos opuestos.

Mi padre se presentó en el al hospital para hacerse un cateterismo de rutina. Digo rutina, porque tiene cinco bypass, varias endoprótesis y un marcapaso. Le inyectan un tinte en el corazón, identifican la ubicación y la severidad del bloqueo, y lo envían a casa para esperar hasta cuando puedan programar la sala de cirugías para la operación.

Esa mañana, mi madre, mi hermana y yo, nos sentamos en la sala de espera durante los 45 minutos que suele tomar el procedimiento. "¿Cómo salió todo?" Le pregunté al Doctor English cuando se nos acercó.

"No pude terminar. He llamado a otro cirujano para ver si puedo introducirle una endoprótesis".

"No sabíamos que iban a hacer eso hoy", dijo mi hermana.

"No tuve opción. No habría sobrevivido. Todavía es posible que no lo logre. Esa vena se puede cerrar en cualquier momento. Sólo tiene una vena accesible y está abierta nada más que el 15%".

Por un momento nos quedamos sentadas sin saber qué decir, tratando de asumir la noticia. "Si el cirujano... no tiene éxito, ¿podremos verlo antes...?".

"No, no es bueno que lo vean. No es nada agradable cuando se está en este punto".

"¿Cuánto tardará la cirugía?".

"Eso depende. Pueden ser 15 minutos o 5 horas". El Doctor English se puso de pie y se alejó.

Ninguna de nosotras cuestionó su decisión de proceder con la cirugía ni preguntamos quién sería el cirujano. Con su postura erguida, respuestas cortas y tono seguro, el Doctor English se había hecho cargo de la situación. Aunque no era exactamente un trato compasivo con los pacientes, definitivamente era autoritario.

La historia tiene un final feliz: mi padre sobrevivió a la cirugía. Dos días después el Doctor English pasó por la habitación de mi padre para darle salida. Mi padre le hizo una pregunta respecto a su recuperación: "Asumo que todavía quiere que camine mis tres millas diarias".

"Seguro, retome el ejercicio. No tiene que caminar como si estuviera en una maratón, pero siga haciéndolo".

"¿Qué tal podar el césped? ¿Está bien también?".

Esa pregunta hizo que el lenguaje corporal del doctor cambiara por completo. Recogió la manta y se sentó en el borde de la cama. "Bueno... eso *puede* estar bien. ¿No estará pensando en comprar una podadora que usted mismo deba empujar, correcto?".

Mi padre sonrió. Por años él y su médico habían estado haciéndose bromas.

El doctor se frotó la barbilla por un momento antes de responder. "¿Cuántos caballos de potencia tiene?". Mi padre le respondió.

"Hmmm. Bueno...". El Doctor English se frotó la barbilla un poco más, mientras golpeaba su portapapeles con su dedo antes de volver a levantar la mirada. "Podría estar bien. ¿No está planeando podar al medio día cuando la temperatura esté a 100 grados, cierto?".

"Bueno, de pronto sí".

Se hicieron un par de bromas más. Al estar sentado en el borde de la cama de mi padre, el doctor se veía tan relajado que en ese momento habría sido confundido con algún miembro de la familia. Al final se rascó la cabeza y volvió a musitar: "Sí, supongo que *puede* estar bien que pode el césped si tiene la podadora correcta. Sólo asegúrese de tener sus píldoras de nitroglicerina en su bolsillo".

Mi padre contrató un servicio de jardinería.

El lenguaje corporal del Doctor English y sus palabras tejieron un mismo mensaje. Las palabras decían: "Bien, pode el césped". El lenguaje corporal y el tono vacilante decían: "No me parece una buena idea".

En la sala de espera, al hablar con la familia, el Doctor English debía proyectar credibilidad, confianza y capacidad. Mostró compasión para con su amigo enfermo. En ambas ocasiones, su lenguaje corporal y el tono comunicaron el mensaje adecuado.

¿Qué clase de control tienes sobre tu lenguaje corporal? ¿Experto, intermedio o principiante?

Nunca hagas de la mediocridad un modelo

Los médicos nos dicen que el promedio de temperatura del cuerpo es de 98,6 grados. Pero cuando vas al consultorio médico, la enfermera te toma *tu* temperatura para que sea esa *tu* propia base. Algunos pacientes tienen una temperatura normal de 97,25 grados mientras que el promedio de otros es de 99,5 grados cuando están bien.

Así mismo, en nuestra cultura, tenemos un margen de gestos, expresiones y movimientos que parecen "normales" para las personas promedio en escenarios cotidianos. Pero hay quienes se convierten en líderes al ser más prominentes y hacer que su imagen sea más manifiesta que la del promedio de personas. Su lenguaje corporal los hace más dominantes, visibles y persuasivos que los demás, aún en medio de las mismas situaciones y roles.

Entiende "normal" como la medida promedio. Apunta a ser positivamente prominente. No abrumador, pero atractivo.

Para tener ejemplos de lenguaje corporal dominante, considera a los hombres o mujeres líderes en algunas de tus películas favoritas. Mira cómo se paran, los gestos que hacen, cómo caminan, la posición de su cabeza y la manera en que usan su espacio. Estos actores y actrices en particular tienen una presencia dominante en el escenario, no sólo en las películas, sino también cuando aparecen en programas de entrevistas, en eventos políticos, o en galas: Morgan Freeman, Brad Pitt, Matt Damon, Bruce Willis, Will Smith, Harrson Ford, Jack Nicholson, Jennifer López, Julia Roberts, Sandra Bullock, Meryl Streep, Susan Sarandon, Whoopie Goldberg.

El consejo de un consultor de modas para una colega mía en una ocasión fue: "Tus pendientes deben declarar algo. ¡Deshazte de esos pequeños botones y usa pendientes que los demás puedan ver!". Lo mismo sucede con el lenguaje corporal. Tus gestos deben ser lo suficientemente amplios como para importar. Cuando te preocupes por los movimientos y los gestos, ten cuidado con la manera en que entiendes "normal".

Entiende "normal" como la medida promedio. Apunta a ser positivamente prominente. No abrumador, pero atractivo.

Párate a tomar el mando

Párate con el peso distribuido en ambos pies, con tus pies separados como a la misma distancia entre tus hombros. Mantén la cabeza en una posición neutra, ni inclinada hacia un lado ni levantando la barbilla. Haz tus hombros hacia atrás y tu estómago hacia adentro. Respira con tu diafragma. Mantente en esa postura relajada más no rígida. Párate erguido. (Ver Figura 3).[9]

Figura 3.
"Al mando pero abierto".

Cuando necesites tus brazos y manos para explicar algo, úsalos. Cuando no sea así, deja que tus brazos cuelguen cómodamente a los lados.

Para tener la mentalidad correcta, imagina que estás fuera del escenario y están a punto de llamarte para recibir un gran reconocimiento; estás listo para salir al escenario a estrecharle la mano al Presidente de los Estados Unidos. Toma un aliento profundo y déjalo salir. Esa es la postura lista, energizada pero relajada que muestra autoridad.

A veces, si quieres mostrar algo de control, como cuando surge una discusión acalorada en una reunión, párate en la posición de un pie adelante. Inclina tu peso hacia un lado de la cadera y adelanta el pie hacia donde debes tomar el control. Por siglos, el pie hacia adelante ha sido una señal que muestra todo tu frente sin ningún escudo protector.

Figura 4.
"Seguro o arrogante".

Las manos unidas detrás de la espalda con el pecho hacia adelante también puede ser una postura de seguridad, incluso arrogancia (Ver Figura 4). Esta postura y forma de caminar es común entre la realeza, generales revisando a los soldados, y los oficiales de policía patrullando su ronda. Se ve poderosa. (Pero si tus manos están fuertemente apretadas detrás de tu espalda, mostrarán frustración a incluso ira, como "impidiéndote" hablar o actuar).

Invita a los demás a confiar en ti al usar gestos abiertos

Figura 5. "Estoy abierto".

Al abrir ampliamente tus manos y brazos a través de tu sección media, estás diciendo: "Estoy abierto. Te acepto e incluso te incluyo en lo que estoy diciendo. Puedes confiar en mí". Mantener las palmas hacia arriba, simbólicamente comunica: "No tengo nada que esconder" (Ver Figura 5).

El mover tus brazos y manos de manera calmada y controlada, en lugar de hacerlo frenética y agresivamente de forma enérgica, se entiende como objetivo, verdadero y sincero. Esos gestos son perfectos para reuniones de equipo cuando necesitas hacer a un lado rumores de despidos. O usa gestos amplios con las manos y los brazos a la altura de la cintura durante una reunión de liderazgo ejecutivo, cuando estás dando tu opinión respecto a temas de responsabilidad en demandas pendientes en contra de tu organización. Estos gestos con las manos y brazos abiertos también pueden demostrar sinceridad en cuanto a un excelente servicio posventa cuando se habla con un cliente potencial indeciso.

Ayuda a los demás a "ver" lo que estás diciendo

La comprensión mejora cuando los demás literalmente "ven" lo que estás diciendo (Ver Figura 6). Entre más gestos específicos uses, el oyente se hará una imagen más clara. Por ejemplo, considera qué gesto harías para este mensaje: "Las ventas han disminuido de manera alarmante, pasando del 10% de crecimiento el año pasado, a sólo el 1% este año". Considera qué gesto harías para este mensaje: "En el pasado..., en la actualidad..., en el futuro...". Qué tal los gestos para este otro mensaje: "Tenemos beneficios al... por otro lado, no podemos ignorar los inconvenientes como..." Pon tu cuerpo a trabajar y "dibuja" los conceptos cuando sea posible. Las ideas se afianzan más cuando los demás las ven y las oyen.

Figura 6. Los gestos de contenido específico ayudan a los demás a ver lo que estás diciendo.

Gesticular con las manos en alto frente al área del pecho, da un sentido de invitación apasionada y enérgica (Ver Figura 7). Esos gestos tienen un aspecto intenso. Entre más sostengas el gesto, más transmitirás el sentido de "conservar" la idea.

Figura 7. "Mi invitación es apasionada, sincera o agresiva".

Demuestras una gran imagen personal cuando mueves a tus oyentes entre varios estados de ánimo, usando desde la tensión hasta la relajación de tu cuerpo.

Caminar hacia los demás mientras hablas, también involucra y persuade más que quedarse de pie en la distancia.

Desde luego, entrar en el espacio personal de alguien puede ser intimidante y amenazador. (Luego hablaremos más al respecto).

La tensión en tus músculos, tu lenguaje corporal y la voz, insinúan tu estado psicológico a tus oyentes. Como los oyentes reflejan el estado del orador, puedes llevarlos de sentirse relajados a estar neutrales, a ponerse alerta, emocionados o enfadados, sólo con cambiar tu propio lenguaje corporal. Este fenómeno lo ves en la manera como un orador político mueve a una multitud de un argumento lógico a un coro enfadado. Te sientes inspirado cuando un orador motivacional mueve a un público más allá de las palabras a un estado emocional tan profundo y calmado que puedes oír la caída de un alfiler. Sientes emoción cuando el director ejecutivo reta a un pequeño grupo de empleados de una naciente empresa a llevar rápidamente un nuevo producto al mercado antes que un competidor gigante los aplaste.

Ya sea que estés controlando para hacerte cargo de una situación, mejorando tu imagen para generar confianza y credibilidad, o aumentándola para persuadir, ten presente una clave: congruencia. Si tu lenguaje corporal dice algo contradictorio a tus palabras, el mensaje del cuerpo prevalecerá. Ante todo, la imagen personal se trata de lo físico.

5

No desaparezcas

"Nuestra expresión y nuestras palabras nunca coinciden,
es por eso que los animales no nos entienden".
—Malcolm De Chazal

Al finalizar un extenso programa de consultoría, el director ejecutivo de la organización cliente, me invitó a cenar para celebrar. Durante la cena me preguntó: "¿Crees que en mi equipo haya alguien que merezca un reconocimiento especial? Creo en los reconocimientos cuando son merecidos. Obviamente Norm y Najma jugaron papeles clave. Pero ¿a quién he pasado por alto?".

"Bueno, ya que lo preguntas, Wayne me ha impresionado mucho con sus capacidades así como con su compromiso".

"¿Quién?".

"Wayne". Tuve que decirle el apellido.

"¿En serio?". Parecía como si estuviera ingresando información a su cerebro que sólo le arrojaba mensajes de error. La lectura le decía que Wayne, en el departamento editorial, no tenía potencial para ser una pieza clave.

Claro, a Wayne le faltaba imagen. Serpenteaba cuando iba del set de un estudio a otro. Se encorvaba sobre su escritorio mientras editaba los guiones. Su voz sonaba débil, como si lo hubieran despertado abruptamente en la noche. Se vestía como el matemático loco, camisa a cuadros, corbata a rayas y parches de cuero en los codos de su chaqueta de pana.

"¿Wayne? Hmmm. ¿En serio?". El director ejecutivo dijo para sus adentros.

Como no hacía parte de la organización y sin saber si me estaba metiendo en un campo político minado, aproveché la oportunidad para hablar elogiosamente de Wayne. Hablé de su talento como escritor de guiones y de sus habilidades de negociación para tener felices a todos los actores ante tantos cambios en el guión.

El director ejecutivo asintió cuando terminé. "Es bueno saberlo. No notas a personas como Wayne porque son tan... tan modestas. Hacen su trabajo y mantienen un bajo perfil. Pero es bueno saber eso de Wayne. Tendré que ocuparme de él en su siguiente pago".

Pero ¿qué le sucede a los Waynes del mundo cuando no hay otra persona cerca para hacerlos visibles? ¿Qué es lo que los hace desaparecer de la vista y la consciencia de los que los rodean?

Congruencia es la clave

Enviar mensajes mezclados reduce tu apariencia personal. La imagen física supera a la psicológica. Y cuando hay conflicto entre las dos, generan una confusión en el cerebro del oyente. (Por ejemplo, si hablas audazmente, pero tu imagen física es modesta, esa débil imagen física se convierte en el mensaje más claro). La congruencia es esencial para tener una comunicación clara y una fuerte marca personal.

Como lo he dicho anteriormente, la autenticidad en todas las áreas, mejora la imagen.

Olvídate de tratar de fingir tus gestos faciales. No puedes hacerlo. No, según el Doctor Paul Ekman, quien ha estado estudiando las expresiones faciales por más de cuarenta años entre culturas de todo el mundo. (Probablemente hayas visto la serie de televisión, *Lie to Me*, que está basada en su trabajo). Las expresiones faciales se crean con más de 52 músculos faciales, sus nervios asociados y los vasos sanguíneos entretejidos alrededor de la estructura ósea. Esos componentes pueden tomar forma en más de 5.000 expresiones que les indican a los demás qué es lo que está pasando en tu mente.[10]

Hace poco tuve la oportunidad de probar personalmente la tesis del Doctor Ekman. En una convención a la que asistí, la oradora nos invitó a formar pares con alguien que no conociéramos. Luego nos pidió que nos presentáramos y tomáramos tres minutos para hablar de algún tema en especial. De inmediato me sentí renuente a la interacción porque no me agradaba compartir información confidencial con algún competidor.

Una mujer que estaba en la mesa del lado se puso de pie a mi lado. Nos dimos la mano. Ella dijo: "Bien, yo iré primero. Mi nombre es Robin. Soy psicóloga especializada en comportamiento criminal. Ahora trabajo con la TSA, entrenando al personal para identificar terroristas".

Luego añadió: "Y justo ahora veo temor en la parte inferior de tu rostro". Tenía toda la razón. Sólo que no tenía la intención de hacer explotar ningún avión. Pero de inmediato sentí miedo. Miedo de que alguien leyera mi rostro. Miedo a sentirme tan transparente, vulnerable y desenmascarada. ¿Y si ella veía mi renuencia a compartir información competitiva? Todo lo leyó en un segundo sin que yo supiera que había movido un músculo. De hecho, mantuve mi sonrisa, pero para ella, como profesional experta en lenguaje corporal, debió haber parecido una máscara de Halloween.

"Olvídate de tratar de fingir los gestos de tu cara".

Aunque no tan diestros como Robin, otras personas a nuestro alrededor filtran lo falso para concentrarse en el mensaje central. Así que olvídalo, no puedes fingir los gestos de tu cara. Sé congruente.

Ten cuidado con el lenguaje corporal que te excluye

Considera los siguientes ejemplos de lenguaje corporal negativo que disminuyen tu imagen. En el mejor de los casos, los diferentes gestos pueden revelar secretos que no quieres comunicar.

"Soy un perdedor": la postura encorvada sugiere derrota (Ver Figura 8). Imita lo que hacen los animales pequeños cuando animales grandes los ahuyentan de la comida: bajan su cabeza o la inclinan hacia un lado, miran hacia abajo y se apoyan primero en un pie y luego en otro o salen huyendo como despedidos. El aspecto dice: "Pobre, pobre, miserable de mí. Por favor sientan lástima de mí. No puedo ayudarme a mí mismo". El tronco del cuerpo parece introducirse en sí mismo y los brazos y manos hacen pequeños gestos dentro de una caja invisible. Usualmente, esas personas huyen de los demás y se sientan en las zonas marginales en las reuniones, las sillas vacías al extremo de la pared o se sientan o se ponen de pie en otros espacios lejos de la acción en cualquier reunión. Todo esto completa la imagen de derrota.

Figura 8. "Soy una víctima".

"Estoy nervioso, necesito reafirmación": algunos gestos dan muestras de estrés interior (Ver Figura 9). Alivian la tensión que está ocurriendo en el interior: rituales como fumar, comer goma de mascar, morderse la uñas, tamborilear los dedos, mover los pies o arrastrarlos, mover el cabello, acomodarse las mangas o los puños de la camisa, ajustarse la correa del reloj, quitarse una pelusa, girar el anillo, doblarse el cuello, tronarse los nudillos, ajustarse los botones, mover la taza de café, cruzar las piernas, abrasarse a sí mismo (un brazo sosteniendo fuertemente al otro contra el tronco del cuerpo), frotarse el cuello con las manos, agarrarse las manos por delante o por detrás (imitando la manera como un padre le sostiene la mano a su hijo). (Ver Figura 10).

Figura 10. "Mami, ¿me das la mano?".

Figura 9. "Estoy nerviosa".

Cuando te pones de pie para hablar o caminar, hay otros gestos que gritan: "Me falta confianza": ir y venir, mover las manos frenética y aleatoriamente, cruzar uno o los dos brazos sobre el pecho para tener protección, cruzar los brazos detrás de la espalda, juntar las manos, apretándolas fuertemente frente a ti o por detrás. Algunas personas usan apoyos como un bolso de mano, un portafolio o una carpeta frente a ellos para tener protección mientras caminan nerviosamente ante un grupo (Ver Figura 11).

Figura 11. "Estoy sosteniendo mi escudo de protección".

"Soy Impaciente": considera el impacto de asentir con la cabeza. Cuando escuchas, al asentir con la cabeza dices "entiendo lo que estás diciendo". La velocidad marca la diferencia entre un asentimiento de aceptación y uno desdeñoso. Tres o cuatro asentimientos lentos e intencionales dicen "te estás dando a

Figura 12.
"Cómodo y abierto".

entender". Pero asentir rápidamente dice "¡suficiente, termina ya!". O "Dame el turno para hablar". ¡Es una gran diferencia entre "bienvenido" y "suficiente"!

"Estoy a la defensiva y listo a discutir": una pierna cruzada cómodamente sobre la otra se siente y se ve normal para el 60% de la población europea, la asiática y la británica. Pero en América y en cualquier cultura que esté siendo americanizada por medio de viajes, la televisión y las películas, verás el número cuatro (una pierna cruzada sobre la otra rodilla forman el número 4) (Ver Figura 12). Según los expertos en lenguaje corporal, Allan y Barbara Pease, la figura del número cuatro expone el área genital, así que comunica: "Me siento fuerte, dominante. No estoy de acuerdo. Creo que voy a debatir tu punto".[11] Las piernas completamente cruzadas, significan lo opuesto: una actitud cerrada y defensiva (Ver Figura 13). Cuando alguien cruza los brazos y las piernas, emocionalmente se han retirado de la conversación.

Figura 13.
"Cerrado y defensivo".

Meter las manos en los bolsillos, todo lo opuesto a las palmas abiertas, también comunica lo opuesto: "No quiero participar en esta conversación. Me retiro". (Ver Figura 14).

"Estoy enfadado": al bajar la barbilla muestras negatividad o desaprobación (Ver Figura 15). A medida que la actitud o la emoción aumentan, los gestos con los brazos se entrecortan más. O si estás enojado, puedes hacer lo opuesto: recurrir al tratamiento silencioso, hacer mala cara, alejarte, aislarte físicamente de los demás (sentarte lejos del resto del grupo en reuniones, dirigir tu cuerpo hacia la distancia, bloquear lugares abiertos con tus pertenencias para que nadie pueda sentarse a tu lado). Siente esa emoción por mucho tiempo y tu boca pasará a lo que se llama una permanente boca hacia abajo, como la de los perros bulldog.

Figura 14. "No estoy interesado".

"Soy arrogante": el gesto que universalmente se identifica como arrogancia es la barbilla levantada (Ver Figura 16). Con frecuencia escuchamos el refrán: "Pasó mirando por encima del hombro". Eso se refiere a una actitud presumida. Otra de las actitudes más odiadas en los hombres es el gesto de las manos detrás de la cabeza con las piernas cruzadas formando el número cuatro. Simbólicamente expone toda la parte frontal comunicando "estoy completamente seguro". En las mujeres generalmente comunica "soy completamente arrogante". Úsala bajo tu propio riesgo.

Figura 15. "¡No lo harás mientras yo esté a cargo!".

Extender tu barbilla hacia alguien dice "te veo y te reconozco pero no me interesa hablar".

Entrelazar los dedos, ya sea a la altura del pecho, de la cara, o sobre las piernas, sugiere una actitud de seguridad propia e incluso de superioridad (Ver Figura 17).

Figura 16. "Puedo hacerlo en cinco minutos, no es una cirugía de cerebro".

Figura 17. "Seguro de mí mismo".

Figura 18. "Lo que sea".

Figura 19. "Lo estoy haciendo lo más rápido que puedo...".

"Estás loco": el girar los ojos sarcásticamente o encogerse de hombros como diciendo "lo que sea", muy típico de parte de adolescentes hacia sus padres, transmite fastidio, sarcasmo, frustración o falta de respeto (Ver Figura 18).

"Estoy mintiendo, así que tampoco confíes en las otras cosas que diga": considera algunas de las mentiras de tacto (esas respuestas a preguntas como: "¿cómo te parece mi corte de pelo?"). Otras mentiras conducen a mayores dudas sobre mensajes importantes y con el tiempo aminoran la confianza y la credibilidad personal. Entonces ¿cuáles son las señales de la mentira? Sudar. Ruborizarse. Incremento en el paso de saliva. Respiración irregular. Tocarse la boca y la nariz (Ver Figura 19). Parpadeo frecuente o también la mirada fija (lo opuesto a lo típico en la persona). La cara congelada (un intento por no ser expresivo y no conceder ningún secreto).

Figura 20. "Déjame decirte un par de cosas".

"¡Haz lo que digo o...!": señalar con tus dedos o gesticular con las manos o con las palmas hacia abajo casi siempre transmite un mensaje negativo: "Escúchame. Aquí yo soy la autoridad" (Ver Figura 20). Cuando hago recorridos de conferencias por Malasia, las Filipinas, Singapur y China, una de las primeras cosas que

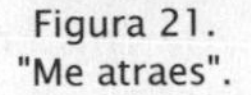

Figura 21. "Me atraes".

Figura 22. "Quiero tu aprobación. ¿Cómo lo estoy haciendo?".

Figura 23. "¿No te parezco tierna?".

siempre me recuerdan mis patrocinadores es esta: "Recuerda usar toda la mano cuando señales. Señalar con el dedo es un insulto".

"Prefiero coquetear en lugar de hablar de negocios": ya sea inconsciente o intencionalmente, las mujeres sugieren su feminidad dando un vistazo por encima del hombro (Ver Figura 21). O inclinan la cabeza hacia un lado y miran hacia arriba (Ver Figura 22). Esas inclinaciones de cabeza, mientras hablan, son un gesto de sumisión que hace ver más pequeña y más vulnerable a la persona. (Pero cuando se está escuchando, inclinar la cabeza hacia un lado puede ser positivo, demuestra disponibilidad).

Figura 25. "Mírame. ¿No te parezco atractiva?".

Figura 24. "¡Mírame! ¡Qué hombre! ¿No?".

Cuando las mujeres se sienten atraídas, suelen descubrir la parte interna de su muñeca, mostrando así la piel sedosa de esa zona (Ver Figura 23). Los hombres ponen sus pulgares sobre el cinturón o en la parte superior de los bolsillos, como en las películas del Oeste cuando los pistoleros se retan entre sí para ver quién es el mejor. Ese gesto enmarca su área frontal (Ver Figura 24). Ambos sexos usan el gesto de las manos sobre la cadera (el gesto de agresividad y de estar listo) para decir, "Mírame". Las mujeres suelen añadir una inclinación de la pelvis al gesto de tener las manos sobre la cadera (Recuerda las modelos de modas sobre la pasarela) para decir, "¡Mírame!". (Ver Figura 25).

Maneja el apretón de manos con precisión

El apretón de manos normal consiste en tomar firmemente la mano de la otra persona, sostenerla para que las dos palmas estén paralelas, luego mover la mano entre dos y cuatro veces y luego soltarla. Las variaciones a este apretón de manos normal son negativas, que van desde lo negativo apenas perceptible hasta lo angustiante.

El pez muerto: extender los dedos flácidos, sin energía para que alguien trate de estrecharlos y moverlos.

El macho: estrechar con tanta fuerza y presión como si estuvieras en una competencia para derribar a la otra persona con sus huesos rotos.

El abrazo de los amantes: cubrir la mano de la otra persona con tus dos manos, como si fuera el comienzo de... ¿qué?

El dominador: estrechar la mano y luego girar las palmas haciendo que tu mano quede sobre la de la otra persona. Para más dominio, algunas personas empujan las manos hacia el estómago de la otra persona, dándose la verdadera postura de "sartén por el mango".

El doble apretón: es estrechar la mano de la otra persona de manera normal, pero con la otra mano tomar la muñeca, el codo, el brazo o el hombro. Todos estos muestran intimidad y posesividad que puede ser ofensiva.

¿El apretón de manos importa? Conozco a un ex agente del Servicio Secreto que mide 6'3" y pesa más de 200 libras; él habla de una conversación que tuvo en una ocasión con un agente de una asociación de negocios: "Les agradas, pero estrechas la mano con debilidad. Ellos respetan un apretón de manos que sea firme". Debido a su clase de trabajo, una conversación como esa te llamaría la atención.

Evita comenzar una relación con el pie izquierdo al dar un apretón de manos que hable más claro acerca de tu personalidad, intensiones y actitud.

Sonríe bajo tu propio riesgo o para tu recompensa

Estudios realizados tanto en la Universidad de Uppsala en Suecia como en la Universidad College en Londres, sugieren que el cerebro genera una reacción en nuestros músculos faciales que es parcialmente responsable del reconocimiento de las expresiones faciales y genera una reacción de espejo inmediata.[12] Como consecuencia de esta programación cerebral, tu sonrisa hacia otros influye directamente en su reacción. Es decir, una sonrisa genera otra sonrisa.

Sonreír también es un gesto de sumisión, les comunica a los demás que no eres una amenaza. Recuerda las películas del Oeste: "¿Quién viene ahí, amigo o enemigo?". Una sonrisa amigable dice: "Soy yo. Mira, estoy sonriendo. No pretendo hacerte daño". No sonreír le dice a la otra persona: "Soy dominante, no sumiso". Esa interpretación puede ser la razón por la cual algunos políticos y actores rara vez sonríen.

La carencia de sonrisa también puede darte un aspecto tenso, preocupado o incluso enojado. Así que, parafraseando Hamlet: "Sonreír o no sonreír, esa es la cuestión".

Recuerdo el entrenamiento que le di a un Vicepresidente cuyo nombre era Greg, respecto al hecho de que su sonrisa se había convertido en algo contraproducente para su trabajo. El director ejecutivo me había dicho que Greg sonreía inadecuadamente cuando hacía declaraciones ante el Congreso, cuando presentaba una propuesta a algún cliente o cuando atendía a dignatarios extranjeros. Cuando conocí a Greg, su sonrisa fue lo que primero noté. La cara se le iluminó por completo y las arrugas alrededor de los ojos se extendieron hasta la línea del cabello. Fue una sonrisa contagiosa y lo único que pude hacer fue corresponder.

Entonces ¿cuál era el problema? Según su director ejecutivo, cuando Greg sonreía, los congresistas lo veían como poco serio o sarcástico, los clientes consideraban su sonrisa como una respuesta condescendiente para ellos y sus preocupaciones, y los dignatarios extranjeros asumían que él se divertía con sus errores al hablar un segundo idioma.

¿Alguna vez escuchaste a un padre o maestro reprender a un niño y decirle con un tono molesto: "Quita esa sonrisita de tu cara"? Para el jefe de Greg, su sonrisa parecía exagerada e inapropiada.

Ten en cuenta que la interpretación puede ser regional. Karen, una amiga mía, me cuenta de un comentario que le hizo su nieto de doce años en una ocasión después que ella se mudara a Natchitoches, Lousiana, y comprara el Steel Magnolia House Bed and Breakfast (famoso por la película). Su nieto le dijo a Karen: "Creo que deberías ser candidata a la Gobernación".

"¿Gobernación? ¿Por qué?".

"Todos en el Estado te conocen".

"¿Por qué lo crees?".

"Todos te sonríen y te hablan".

En el Sur, sonríele a alguien y de inmediato esa persona te sonreirá y te hablará. (¿Recuerdas las arrugas que le salieron a George W. Bush por su sonrisa?). En el Norte, sonríele a alguien y esa persona pensará que quién sabe qué cosa mala has estado haciendo o qué deseas.

Hay un propósito para la sonrisa. Se llama oportunidad situacional.

Sonríe cuando estás complacido, de acuerdo o cuando no estás reconociendo a alguien. Sonreír no es adecuado cuando estás conteniendo la ira o un desacuerdo, cuando estás dando malas noticias, o cuando estás ofreciendo simpatía. Sonreír en el momento inoportuno puede transmitir ignorancia o una actitud de superioridad, arrogancia o desdén.

Entonces ¿qué hacer si tu lenguaje corporal te traiciona? Los psicólogos insisten en que no puedes sentir lo que quieres cambiar en tu lenguaje corporal. Más bien, recomiendan que actúes lo que quieres sentir. En otras palabras, para sentirte seguro, usa lenguaje corporal de seguridad. Si no te sientes cómodo controlando una conversación, actúa con confianza conduciendo la conversación a un final. Como consecuencia, comenzarás a sentirte cómodo con ese papel.

Practica en entornos de bajo riesgo con colegas en quienes confías que puedan darte una buena retroalimentación. Antes de una reunión con un cliente grande o de una exposición muy importante para tu jefe, reúnete con unos amigos para hacer un ensayo general y para que luego te den retroalimentación. Dales una lista de verificación de los principios de este libro y pídeles que te den una evaluación objetiva de tu lenguaje corporal. O, mejor aún, graba todo el ensayo y critícate a ti mismo.

Desecha el lenguaje corporal de perdedor que haga que los demás te desprecien. Remplázalo con lenguaje corporal seguro hasta que te sientas competente en cualquier papel que asumas. ¿El principio? Luce como un líder para sentirte como un líder.

SEGUNDA PARTE: CÓMO HABLAS

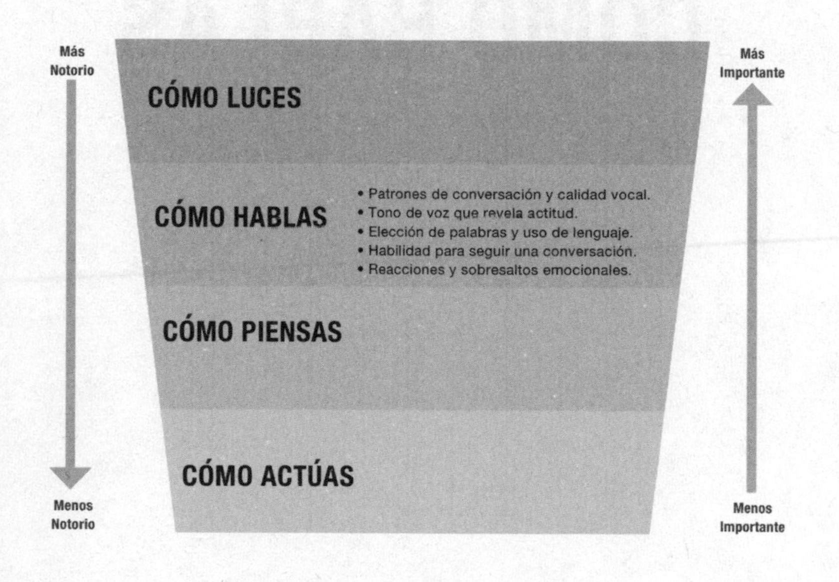
Más
Notorio
Menos
Notorio
CÓMO LUCES
CÓMO HABLAS
• Patrones de conversación y calidad vocal.
• Tono de voz que revela actitud.
• Elección de palabras y uso de lenguaje.
• Habilidad para seguir una conversación.
• Reacciones y sobresaltos emocionales.
CÓMO PIENSAS
CÓMO ACTÚAS
Más
Importante
Menos
Importante

6

Sé profesional, no profesoral

"Las palabras son como los lentes;
hacen borroso todo lo que no aclaran".
—Joseph Joubert

Un conocido mío, Troy, puede acabar con una fiesta más rápido que una redada de la Policía. Peor aún, esa no es su intención. Tomemos como ejemplo la tarde del domingo anterior. Nos habíamos reunido como 30 personas después de ir a la iglesia para tener un almuerzo relajado. Sentados a ambos lados de dos largas mesas, conversamos de una cosa y luego de otra. "¿Qué piensan de las elecciones?". Dos o tres dieron su opinión. Luego Troy dijo: "Las elecciones que se acercan las deben ver desde la perspectiva histórica". Por dos o tres minutos habló dándole el "significado" histórico a las elecciones en lugar de sólo dar una opinión.

Luego alguien preguntó sobre lo más reciente que se ha sabido de la última amenaza terrorista. Troy dio un informe completo, incluyendo consejos de prevención. Alguien cambió de tema para hablar de las últimas películas. Ya adivinaste: Troy nos dio un extenso resumen de todas las críticas, nos dijo cuáles críticos eran los más confiables, nos explicó cómo se financia una película y terminó diciendo el promedio de dinero que recauda una película durante su vida. A la cuarta vez, Troy ya había acaparado la conversación para "explicarnos" las cosas, había caído una sombra de muerte sobre la mesa. Uno tras otro los invitados fueron retirándose de la mesa y formando pequeños grupos de conversación alrededor del salón.

Como lo dije, sólo con su boca llena de comentarios, Troy puede dispersar una multitud más rápido que un pistolero loco. Un *poco* de conocimientos profundos atrae, pero no en *todos* los temas.

Sé conversador, pero no cautivador. Bien, si estás en una cita amorosa, trata de cautivar en el sentido encantador de la palabra. Pero, de otra manera, no tomes prisioneros. Quienes te rodean no deberían sentirse atrapados cuando hables.

¿Qué lecciones aprendemos de Troy? El simple hecho de *saber* algo, no significa que tengas que *decirlo*. Si en algún momento piensas que estás divagando mucho, es porque así es. Si los demás suelen interrumpirte diciendo "ya entendí", probablemente estás siendo repetitivo.

Si ves que los demás dan vistazos hacia otro lado, has pasado a dar un sermón y has perdido a tu audiencia. Como lo dijo T.S. Elliot: "Las palabras se deforman, agrietan e incluso se quiebran, bajo mucho peso". Quienes exageran el uso de la palabra, deberían tener que pagar un cargo de licencia cuando excedan su límite.

Expresa tu derecho a dar tu opinión

Al ver programas de entrevistas en televisión, suelo sentirme mal por aquellos invitados atrapados que no han aprendido a contenerse lo suficiente como para manifestar sus opiniones. Otros los interrumpen al punto que parece que alguien hubiera oprimido su botón de "enmudecer" y los hubiera callado. En un panel, por un lapso de siete minutos, un invitado puede desaparecer después de la primera interrupción a menos que el moderador lo salve lanzándole una pregunta con nombre propio.

Para contenerte y evitar que eso te suceda, desde el comienzo acomódate para tener la palabra. En una reunión con alguien que suele interrumpir, habla con voz firme y establece tu marco para mostrarle a los demás el momento en que pretendes terminar: "Déjenme señalar tres razones por las cuales creo que deberíamos reconsiderar la financiación de este proyecto...". Si el que interrumpe se atraviesa después de la primera razón, continúa con voz firme: "Por favor déjame terminar con las otras dos razones..." y sigue.

Muestra calma para mantener la palabra. Rehúsate a ser interrumpido bruscamente.

Elige no perder con tus palabras

Los adjetivos y adverbios expresan opiniones lo cual invita a que los demás sean quisquillosos y discutan. Úsalos poco. Los verbos y los pronombres expresan hechos (o lo que suenan como hechos). Los verbos motivan, persuaden y exigen acción. Golpean fuerte. (Vuelve al comienzo del capítulo 2 donde hay un pasaje extenso de verbos cargados de acción).

> **Débil:** Esta ley *obsoleta en algún grado* dificulta nuestro progreso para hacer los cambios *necesarios*.
>
> **Más fuerte:** Esta ley dificulta nuestro progreso para hacer cambios.

El lenguaje técnico también puede afectar. La gente suele usarlo con la intención de impresionar o generar confianza como persona experta y con mucho conocimiento. Pero en lugar de generar confianza, el lenguaje sofisticado crea barreras. En lugar de hacerte ver como un líder con amplio conocimiento que se puede identificar con todos, te categoriza como un especialista con una óptica limitada.

Adam Freedman, abogado y columnista para *Wall Street Journal*, habla de una lección que aprendió rápidamente como joven asociado de una firma de abogados al representar a un prisionero en un caso de derechos civiles. El primer borrador de su argumento comenzaba así: "El demandante John Doe en la actualidad está pagando una condena privativa de la libertad en el sistema penitenciario del Estado de Nueva York". El socio de la firma tomó su lapicero rojo y editó su introducción de esta manera: "John Doe es un prisionero en Sing Sing". El señor Freedman confiesa que esa experiencia acabó con su esfuerzo por tratar de deslumbrar con lenguaje técnico.[13]

Hace varios años asistí a una conferencia en la que el orador dejó enmudecido al grupo. El maestro de ceremonias pasó al micrófono para presentar al Doctor Fulano, un especialista en Ciencias de la Comunicación reconocido a nivel mundial. Después de recitar extensamente su biografía, incluyendo sus credenciales académicas, publicaciones y premios, el orador pasó al atril y comenzó su charla. Citó estudio tras estudio y mencionó uno y otro proyecto de investigación, usando lenguaje técnico, terminología y explicaciones complejas.

"La simplicidad es la sofisticación definitiva".
—LEONARDO DA VINCI

La energía de una audiencia usualmente activa, de aproximadamente 2.000 personas, se evaporó. Los miembros del público escucharon cortésmente durante aproximadamente diez minutos y luego comenzaron a echar vistazos al otro lado de la mesa, como preguntando: "¿Estás entendiendo algo de esto?". "¿Vamos a estar atrapados aquí durante 45 minutos?". Aproximadamente como a los 10 minutos, comenzaron a sonar algunas risas y se empezaron a escuchar susurros diciendo: "¿Este hombre está hablando en serio?". No, no era en serio.

Todo se trataba de una treta, parte de un acto del comediante Rodney Mark (www.comedian.com.au) en el que satiriza el doble discurso y mira por cuánto tiempo el público escuchará el parloteo sin sentido y el vocabulario técnico sin protestar. Respuesta: mucho tiempo. Pero no con razón y respeto. Y sin pensar en lo que quisieras que ellos estuvieran pensando.

Los líderes no usan el vocabulario especializado para atraer. Más bien edítate a ti mismo. Como lo indicó el profesor y autor William Strunk: "Una frase no debe tener palabras innecesarias, un párrafo no debe tener frases innecesarias, por la misma razón que un dibujo no debe tener líneas innecesarias y una máquina no debe tener partes innecesarias".

Las personas profundas se esmeran por la simplicidad y la claridad.

Las normas Booher para la comunicación clara

1. Esmérate por la sencillez. Nunca uses una palabra larga cuando una corta sea suficiente.
2. Expresa tu idea principal con verbos fuertes y sustantivos precisos.
3. Usa voz activa, a menos que tengas una buena razón para usar la voz pasiva.
4. Sigue usando palabras conocidas en lugar de acuñar nuevas.
5. Verifica el uso y la pronunciación de las palabras.
6. Vive preparado mas no enlatado. Habla, no recites de memoria. Si quieres actuar un guión, debes ir a una obra de Broadway o ver un documental.
7. Habla fluidamente, sin titubear.
8. No permitas que la dicción y el lenguaje disminuyan.
9. Exprésate, luego haz silencio.

Permíteme entrar en detalle en algunos de los puntos mencionados.

No permitas que la dicción y el lenguaje disminuyan

Cuando tenía 19 años, me enlisté en la Universidad de Maryland, en la División del Lejano Oriente, en la base militar de Okinawa, por un par de semestres. Siendo una civil asistiendo a mi primera clase allá, me sentí un poco tímida sentada en una sala de espera, sola la primera noche. Un soldado pasó justo frente a mí y se tropezó con mi pie. Se disculpó y yo asentí respondiendo "hola".

"¿De qué parte de Texas eres?" preguntó sentándose a mi lado.

"¿Cómo supiste que soy de Texas?".

"¿Cuántas personas más separan la palabra 'hola'?".

Me había atrapado. El acento sureño es un delator de mis orígenes. Desde entonces he viajado y me he dirigido a públicos en casi todos los 50 Estados y en 6 continentes, y en todas partes la gente reconoce el acento del Sur. Casi cada área del país tiene su dialecto original y todos los prejuicios que vienen con él. Algunos del Norte consideran el característico paso lento del Sur como una muestra de ignorancia. Algunos del Sur consideran la característica conversación rápida de los del Norte como agresiva y molesta.

Esas variaciones de dialecto nos hacen únicos y aportan variedad de un orador a otro.

Pero las cosas que hacen levantar cejas como uñas rayando una pizarra, incluyen aspectos de dicción, palabras mal usadas y mala gramática. Por ejemplo:

"Independiente del costo, este proyecto debería finalizarse", "Envíale ese informe a Lisa, Himanshu, y a mí mismo", "Yo y Jeri hemos hecho nuestros planes para asistir", "El equipo trabajó muy bueno".

"Él había fue a trabajar esa mañana igual que siempre". Cuando mencioné ese error en mi libro *Booher's Rules of Business Grammar*, alguien me dijo: "Ese debe ser un error que sólo se comete en el Sur entre los mal educados porque nunca he oído a nadie del Norte decir eso". Cada vez que un ingeniero o analista de sistemas de cierta empresa cliente del Norte comete ese error, me siento tentada a reenviarle el documento a esa persona.

"La convención va ser en Washington".

Verifica el uso de las palabras y la pronunciación: ¿cómo dijiste?

El comediante Norm Crosby se ganó la vida con "malapropismos". El término "malapropismo" se refiere al error de usar una palabra diferente a la que el orador o escritor pretende usar. Tuvo su origen en la obra de Richard Sheridan en 1775, *The Rivals*, en la cual el personaje llamado la señora Malaprop solía equivocarse al hablar, logrando un gran efecto cómico. Ejemplo: "¿Qué estás incinerando?" en lugar de ¿Qué estás insinuando?

La mala pronunciación puede ser igual de vergonzosa. A menos que tu intención sea que la comedia sea tu trabajo, estas cosas pueden afectar tu carrera.

Hay ciertas palabras comunes que la gente suele trasponer. Y cuando se han aprendido mal, esas palabras se convierten en gigantes que hay que derrotar. A continuación hay una lista inicial. Como aún tu mejor amigo no te lo dirá, analízate tú mismo para generar consciencia:

relevante (re-le-van-te puede pronunciarse mal como *re-ve-lan-te).*

remuneración (re-mu-ne-ra-ci-ón, suele confundirse con *re-nu-me-ra-ci-ón*).

perjuicio (per-jui-cio, suele ser mal pronunciada como *pre-jui-cio).*

idiosincrasia (i-dio-sin-cra-cia, suele pronunciarse mal como *i-deo-sin-cra-cia*).

expectativa (ex-pec-ta-ti-va, suele pronunciarse mal como *es-pec-ta-ti-va*).

ineptitud (i-nep-ti-tud, suele ser mal pronunciada como i-nap-ti-tud).

ojalá (*o-ja-lá*, suele pronunciarse mal como *o-já-la*, con el acento en *ja*).

inapropiadamente (*in-a-pro-pia-da-men-te*, suele pronunciarse mal como *im-pro-pia-da-men-te*).

negociar (*ne-go-ci-ar*, pronunciado erróneamente como *ne-go-ce-ar*).

perspectiva (*pers-pec-ti-va*, suele ser mal pronunciada como *pres-pec-ti-va*).

Había (*ha-bí-a*, suele ser mal pronunciado como *ha-bí-an*).

plenitud (*ple-ni-tud*, suele pronunciarse mal como *ple-ni-tú*).

dijiste (*di-jis-te*, suele pronunciarse mal como *di-jis-tes*, también con otros verbos).

viniste (*vi-nis-te*, suele pronunciarse mal como *ve-nis-te*).

trastorno (*tras-tor-no*, suele pronunciarse mal como trans-*tor-no*).

frustrado (*frus-tra-do*, suele ser mal pronunciada como *fus-tra-do*).

Por mi experiencia puedo decirte que es mucho mejor concientizarte de esos errores que dar lugar a que otros lo hagan por ti. Hace dos décadas, mientras hablaba delante de un grupo de abogados en una compañía de petróleos, me referí a un aparte de uno de sus documentos que hacía uso del término *hundimiento* y puse el acento en la sílaba equivocada. Uno de los abogados me miró fijamente por encima de sus lentes y con un tono muy superior me corrigió. Casi que me sonrojo en este instante al recordar la situación.

¿Recuerdas el incidente en noviembre de 2010 cuando un anciano caucásico con muchas arrugas abordó un vuelo de Air Canadá rumbo a Vancouver? Llevaba puesto un sombrero y una chaqueta de lana y durante el vuelo fue al baño y luego salió como un asiático de unos veinte años. Durante varios días los medios de comunicación cubrieron la historia mientras el FBI investigaba cómo había podido superar los puntos de control, para ingresar ilegalmente al país. Algunos habían notado que sus manos se veían muy jóvenes y no concordaban con el resto de su cuerpo.

Los inspectores nos dicen que miran discrepancias similares cuando están decidiendo a quién interrogar: alguien que está vestido con traje de calle, pero que tiene las uñas sucias. Una madre con hijos pero que no puede recordar las fechas de nacimiento. Una mujer con traje de negocios, pero con zapatos rayados. Esas imágenes que no concuerdan son una señal de engaño, algo no es como parece en la superficie.

La misma imagen que no concuerda sucede cuando alguien con una presencia física notoria pisotea el idioma. El lenguaje enmarca nuestra percepción y nuestra primera reacción hacia esa persona.

Aborda temas tabú con cautela

"Puedes vestirlo, pero no salir con él". Esa pequeña broma normalmente se le dice a un amigo que accidentalmente ha volteado su bebida en la mesa o ha manchado su camisa con mostaza. Pero también se aplica a la carencia de sensibilidad respecto a qué temas son apropiados en qué ocasiones. Ver a alguien que no controla su boca apresurarse a entrar donde sólo los tontos se atreven, crea la misma aprensión que ver a un ebrio en una fiesta. Te quedas pensando: "Alguien debería taparle la boca y llevarlo a casa para evitar un accidente".

En una ocasión alguien dijo que las personas de clase baja hablan de los demás. Las personas de clase media hablan de objetos. Las personas de clase alta hablan de ideas. En mi experiencia, la elección del tema no tiene tanto que ver con la clase como sí con el liderazgo y el sentido de identidad. Quienes no tienen un fuerte sentido de identidad, hablan de los demás porque, al comparar, se concentran en cómo acumular más motivos en contra de los demás. Quienes tienen un mayor sentido de identidad se vuelven egoístas. Se concentran en cómo el mundo gira alrededor de ellos y los suyos. Quienes tienen el sentido de identidad más fuerte, se concentran en el exterior.

Los líderes con presencia hablan de ideas. Hablar con inteligencia de temas adecuados refleja un mayor interés: dificultades en el panorama mundial, nuevas tecnologías, alimento para los pobres, las últimas investigaciones médicas, resultados de encuestas sobre el buen estado físico, literatura actual.

"Ver a alguien, que no controla su boca, apresurarse a entrar donde sólo los tontos se atreven, crea la misma aprensión que ver a un ebrio en una fiesta. Te quedas pensando: 'Alguien debería taparle la boca y llevarlo a casa para evitar un accidente'".

Los demás te conocen por los temas que tratas. Hablar del deterioro de una cordal de tu tío durante el almuerzo hace que los demás cuestionen tu buen juicio.

El tacto respecto a cuál tipo de humor es apropiado y cuál no, también afecta tu imagen.

Hace un par de años, me invitaron a dar unos elogios en el funeral de una amiga. Ella era dueña de una pequeña empresa relativamente nueva en la comunidad a donde se había mudado justo antes de ser diagnosticada con una enfermedad terminal. A medida que se hacían los elogios, el mío era uno extenso cuya intensión era ser el más importante del servicio. La describí como una empresaria exitosa, una cristiana comprometida que desinteresadamente había servido a los demás, una amiga leal, una madre dedicada y una esposa amorosa.

Luego el Ministro que estaba dirigiendo la ceremonia invitó a quienes así lo desearan a ponerse de pie y decir algo que recordaran, ya fuera algo serio o divertido de Jenny. Se compartieron muchos recuerdos maravillosos. Pero hubo un comentario en particular. Una joven que tenía alrededor de veinte años de edad, se puso de pie y dijo: "Ella definitivamente disfrutaba los olores del baño". La observación cayó tan pesada como una bola de bolos, revelando más del tacto de quien hablaba, que de la persona fallecida.

La percepción de tu buena imagen no sólo tiene que ver con tus compañías, sino también con lo que hablas.

7

Ten en cuenta el principio del resaltador

"Tenía lapsos ocasionales de silencio que hacían que su conversación fuera completamente deleitosa".

—Sydney Smith

"Permíteme ver si entendí bien: ¿Dices que 17 ejecutivos van a viajar hasta acá sólo para prepararse para el banquete de premiación?". "Correcto", asintió Cindy, la Directora de Comunicaciones, confirmándome cuál era mi siguiente asignación de entrenamiento. "Como es una empresa, probablemente algunos de ellos programen otras reuniones mientras están allá para encontrarse con Garrett o Boyd. Pero ellos saben que el interés principal de Garrett es que tomen este entrenamiento. El banquete del año pasado fue terrible. Garret se sintió muy avergonzado. Invertimos una buena cantidad de dinero en todos los premios para que sea una noche especial para los ganadores y sus familias, tenemos que hacerlo bien".

"Entiendo". Entramos al estudio para conocer al presidente de la compañía productora que habían contratado y a algunos miembros de su equipo que estaban disponibles para la sesión de práctica.

El guionista se me acercó para presentarse y darme una copia del guión. "Sólo dinos cualquier cambio que quieras hacer a medida que avancemos y los introduciremos en el *teleprompter*".

Un productor de películas amigo mío siempre dice que para lograr una gran película se necesitan tres cosas básicas: (1) El guión, (2) el guión, y (3) el guión. Y en ese punto yo ya me estaba preocupando porque no había tenido la oportunidad de leerlo y el primer ejecutivo iba a llegar a las 8:00 a.m. para su sesión de entrenamiento en el set. Me senté en un escritorio improvisado en la parte de atrás del estudio para revisar los diálogos. Explorando rápidamente las páginas, me detuve en la parte del vicepresidente. ¿Sólo dos párrafos cortos? ¿Eso era todo?

Encontré a Cindy hablando con el equipo de producción: "¿Discúlpame, este es todo el guión para Curtis, dos párrafos?".

"Eso es todo".

"¿Y está en el *teleprompter*?".

"Sí, ahí está".

"¿Y vamos a tomar una hora para trabajar en esto?".

Ella sonrió. "Sé lo que estás pensando. Pero créeme, vas a necesitar ese tiempo. Probablemente no con todos ellos, pero sí con la mayoría".

Tenía razón. Antes de trabajar con el *teleprompter* les pedí que dijeran sus partes utilizando una copia en papel. Pero el *teleprompter* no era lo que les causaba problemas. Ellos sencillamente no se daban cuenta que hablaban con monotonía. Es decir, que no fueron conscientes del problema hasta que se escucharon a sí mismos en el video grabado. Luego se les hizo terriblemente difícil.

Aquí en Universal, Sarah ha sido fundamental en el... desarrollo de varios manuales... importantes de políticas. De hecho, aquí... la llamamos el conejito de Energizer... porque ella, junto con su equipo... ha entrevistado, investigado, codificado y... distribuido más de 19... guías de referencia en línea. Cuando no está... trabajando, Sara y su esposo... disfrutan hacer ciclomontañismo... con sus gemelos y...

Una y otra vez sus voces se volvían monótonas y se detenían como un motor lento en una mañana fría. No sólo pronunciaban la frase de forma inapropiada, como si estuvieran leyendo; era como si alguien les hubiera sacado el aliento. Parecían no ser conscientes de que sus voces sonaban como las de los telemercaderistas que llaman a la hora de la cena y cuya frase introductoria es: "¿Puedo hablar con la cabeza del hogar?".

Pasados 5 minutos de haber iniciado la sesión, estos vicepresidentes junior, usualmente energéticos y que normalmente trabajan 60 horas a la semana, sonaban como llantas desinfladas.

Entonces ¿cómo podían ellos o cualquier otra persona aprender a proyectar buena apariencia personal con sus voces? Según nuestra encuesta, esa es una pregunta muy importante. Cuando se trata de imagen personal, sólo un 2% de quienes han dado respuesta a nuestra encuesta Booher, ha considerado su voz como mejor su atributo.

Cambia tu lenguaje corporal para dominar al monstruo monótono

Tu voz sigue a tu cuerpo, no es al revés. La calidad de la voz implica respirar adecuadamente. No puedes respirar bien si no te paras bien. Si no te paras bien, no puedes inhalar la mayor cantidad de aire en tus pulmones. Si no tomas suficiente aire en tus pulmones, no puedes exhalar suficiente aire para hablar con la intensidad necesaria para sonar fuerte y enérgico. Así que párate derecho, expande tus pulmones y toma suficiente aire para que puedas hablar con energía y darle fuerza a tus palabras.

El mensaje ocurre en la mente del oyente. Cuando das un mensaje incongruente, los oyentes creen en la calidad de tu voz y en el tono con el que lo escuchan, no en las palabras que salen de tu boca.

Cuando el ingeniero de sistemas dice: "Hemos encontrado el problema del código y ya no va a tener más tiempos de inactividad", y lo dice con una ceja arqueada y una voz suave, el gerente escucha realmente: "No estoy seguro de que el problema haya sido resuelto". Cuando el director financiero le dice a los analistas de Wall Street: "La demanda pendiente es sólo una molesta amenaza, pero nunca iré a juicio", ellos le prestan atención a la calidad de la voz para tener confianza. Si el Coronel Herzog dice: "Soldados, el Pentágono acaba de firmar los documentos para hacer oficiales su ascensos", pero el mensaje está envuelto en un tono monótono, los soldados esperarán malas noticias.

La calidad de la voz se hace más notoria cuando el oyente ya está cansado. Considera la hora de acostarse de un niño. Lo que lo hace dormir no es la historia, es el tono calmado de la voz lo que le cierra los ojos y hace que se vaya quedando dormido. Piensa en un viaje en avión. El zumbido monótono del motor del avión es el que hacer dormir a los pasajeros en vuelos largos.

Asegúrate que tu entorno no te lleve a ser monótono y tener baja energía (como encorvarte).

Utiliza la técnica del "resaltador" al hablar

"Tus oyentes no tienen un guión ni un resaltador para seguirte a medida que hablas, tus variaciones de voz deben marcar las ideas a las que ellos necesitan prestar atención y recordar más fácilmente".

Considera el principio del resaltador para mejorar tu imagen. Si estuvieras estudiando para un examen ante el Colegio de Abogados o de Contadores Públicos, supongo que utilizarías un resaltador de color amarillo (o rosado, o naranja) para marcar las ideas centrales en tus notas, artículos y libros para que sobresalgan cuando estés repasando. Como abogado resaltarías nombres de casos, fechas y leyes jurídicas que sentaron precedentes. Como contador, resaltarías fórmulas, regulaciones de asuntos tributarios y varios fallos de Cortes en demandas de impuestos.

Cuando hablas, las variaciones en tu voz actúan como ese resaltador para el oyente. Con el volumen y la intensidad les das más energía (modulas, haces énfasis) a esas palabras específicas, haces pausas más largas antes y después de ellas para que sobresalgan del resto de la oración. Tus oyentes no tienen un guión ni un resaltador para seguirte a medida que hablas, tus variaciones de voz deben marcar las ideas a las que ellos necesitan prestar más atención y recordar más fácilmente.

La mayoría de personas hacen énfasis importantes en medio de conversaciones casuales cuando hablan de la película que vieron el fin de semana pasado, de su equipo de fútbol favorito o del proyecto que los tiene confundidos en este momento. Considera el siguiente comentario y la manera en que el significado cambia con cada variación, dependiendo de la palabra sobre la cual se hace el énfasis:

"El CLIENTE no dijo que Robert estaba enfadado con la decisión".

"El cliente NO dijo que Robert estaba enfadado con la decisión".

"El cliente no DIJO que Robert estaba enfadado con la decisión".

"El cliente no dijo que ROBERT estaba enfadado con la decisión".

"El cliente no dijo que Robert estaba ENFADADO con la decisión".

"El cliente no dijo que Robert estaba enfadado con la DECISIÓN".

El resaltar transmite significado en la mayoría de las veces. Para practicar, lee fragmentos de un libro o de un artículo en voz alta ante un familiar. Presta atención para ver si él o ella capta fácilmente la idea o la información, o si se confunde y te pide que vuelvas a leer. Practica el resaltar hasta que domines al monstruo de la monotonía.

Recarga tu voz con movimiento

Cuando un expositor se queda de pie en un sólo punto al dirigirse a un grupo, por lo general pierde todo el sentido de inflexión natural, ritmo y pausa. Cae en la monotonía y el sonido se vuelve patético. No permitas que eso te suceda.

Ten consciencia del vínculo entre tu energía y tus labios. Aprende a modular tu velocidad de habla y el volumen y la intensidad, para que tus oyentes sepan qué es importante. Haz que los demás sientan tu energía a medida que explicas un punto clave. Permíteles descansar un poco, luego retoma el ritmo. Avanza. Camina hasta otra parte del salón y presenta un nuevo punto. Usa todo el salón como plataforma. Cuando sea adecuado, gesticula con todo tu cuerpo. Conviértete en tu propia hélice si lo necesitas. Usa tus manos. Anima tu cara. Haz que la sangre fluya. El movimiento requiere energía. Entre más energía uses, tu voz sonará más potente y natural.

"Ten consciencia del vínculo entre tu energía y tus labios".

Modula, modula, modula. ¡Si tus oyentes se ven aburridos, es porque tú suenas aburrido!

Según Sharon Reedie, Presidenta de Costrata Management en Dallas, "la carencia de una adecuada imagen personal proyectada por medio de la voz durante una entrevista telefónica, hace que muchos ejecutivos no logren pasar a la segunda entrevista". En sus más de 20 años asesorando a ejecutivos de todo el país para que tengan éxito en su búsqueda de empleo, Sharon ha encontrado que el peor error que cometen hasta los ejecutivos más sofisticados, ha sido tomar de forma muy casual la entrevista telefónica. Su teléfono móvil suena cuando van hacia el supermercado o se encuentran en el club de golf y contestan sin estar preparados. Lo que deberían hacer cuando no reconocen el número, dice ella, es devolver la llamada cuando estén listos para responder preguntas. La preparación conduce a la seguridad y la seguridad se manifiesta con una voz dinámica.

Deborah, una aspirante con quien Sharon acaba de comenzar a trabajar, tiene un gran sentido del humor, una personalidad vibrante y una presencia física personal enérgica. Pero esos rasgos no se evidenciaron en su última entrevista de trabajo, la cual fue por teléfono. Ella recibió la llamada mientras esperaba en la fila para recoger a sus hijos en la escuela. El ejecutivo de contratación la percibió como "poco seria", "monótona", "nerviosa", "muy pormenorizada" y "sin interés en el empleo". Pero ninguno de esos adjetivos describe a la verdadera aspirante, sin embargo esa es la personalidad que proyectó con su voz en ese momento: poca energía, tímida y desinteresada. Su voz monótona proyectó una personalidad monótona. Una oportunidad perdida para un cargo ejecutivo.

Ten cuidado con otros tics vocales que reflejan negatividad: si hablas demasiado rápido estás comunicando nerviosismo. Hablar demasiado lento, transmite la idea de "pienso lentamente". Un volumen muy suave, transmite "estoy aburrido, cansado o soy tímido". Un volumen demasiado alto dice "soy agresivo, estoy enfadado o soy desafiante".

La variación, el tono, la intensidad, el ritmo, las pausas o el volumen de tu voz, son una herramienta poderosa para controlar una conversación, dirigir una multitud, comunicar una cultura y a la larga, desarrollar una carrera.

8

Di lo correcto en el momento correcto y no digas lo indebido en el momento emotivo

"El mejor momento para frenar tu lengua es cuando sientas que debes decir algo o revientas".
—Josh Billings

¿Recuerdas los días en que corrías a contestar el teléfono al primer timbre? ¿Tus padres apenas lograban hacer que colgaras para que tuvieras tiempo suficiente de comer? Te aferrabas a ese cable enrollado como si fuera un cordón umbilical que te unía a tus amigos. Sus voces te conectaban al mundo exterior, las conversaciones giraban alrededor de quién estaba saliendo con quién, quién reprobó qué clase, quién odió el carácter de quién esa semana. Si nos castigaban prohibiéndonos el teléfono por violar las normas de la casa, nos sentíamos como condenados a muerte.

Luego vino el correo electrónico y el romance fue por internet. Así que esos momentos emotivos, personales y de negocios, empezaron a llegar envueltos en "llamas" de correos electrónicos. Los consultores nos advertían que dejáramos enfriar esas misivas emocionales antes de oprimir el botón de enviar. De lo contrario, un correo electrónico escrito en un momento emocional podía costarnos el empleo. Nos advertían que el significado se confundía en un correo electrónico porque el tono sonaba diferente cuando era entregado de forma escrita en vez de hablada. Lo que era posible decir con una sonrisa y una palmada en la espalda, podía no verse de la misma manera con un signo de admiración o un ícono gestual.

El correo electrónico se transformó en entradas de Facebook, mensajes de texto y tweets. Más cortos y más frecuentes, se volvieron más directos y agresivos.

Algunas personas ven lo efectiva y conveniente que es una conversación para solucionar un problema, sólo cuando se ven forzadas a decir: "Por favor toma el teléfono y LLAMA a Joe para aclarar este lío". Recientemente, el presentador de un programa de televisión entrevistó a un invitado sobre una demanda respecto a un fraude con Medicare. Él preguntó por qué la víctima no había llamado antes al agente para informar la discrepancia entre las facturas del hospital y las presentadas en los formularios del seguro.

"¿Usted *pensó* en llamar para informar sobre la discrepancia?". Preguntó el presentador del programa.

"Yo les escribí un correo electrónico al respecto pero nunca recibí una explicación", respondió el invitado.

"¿Pero si lo que usted dice es cierto, por qué no LLAMÓ?". Continuó el anfitrión.

"¿Llamar? ¡Yo no quería ser grosero!".

"¿Grosero? ¿Usted considera que llamar es ser 'grosero'?".

"Sí. Me parece que hoy en día, llamar a alguien es una intrusión".

¿Y en qué se basa esa apreciación? ¿Qué puede hacer que una víctima entable una demanda antes de involucrarse en una conversación emocional?

Hace muchos años, en Booher, comenzamos a recibir llamadas de ejecutivos que nos decían: "Nuestros empleados ya no pueden sostener conversaciones. Han estado sentados ante un computador por tanto tiempo que se les dificulta hablar cara a cara".

Una firma de alta tecnología de varios millones de dólares planteó el problema de esta forma: "Cuando algunos de nuestros consultores desarrollan proyectos en las instalaciones de un cliente, a veces algún ejecutivo de parte del cliente pasa preguntándole cómo va todo. Esa es una excelente oportunidad para que nuestros consultores le digan a este director ejecutivo lo que hemos logrado hacer por ellos y le sugieran ideas para otros proyectos o le soliciten ayuda con planes estancados. Pero nuestros consultores sencillamente se quedan pasmados. No logran mantener una sencilla conversación para involucrar a un ejecutivo en ese sentido. Ofenden al quejarse del personal del cliente o se quedan estupefactos sólo porque están hablando con el director ejecutivo".

"Para decir lo correcto en el momento adecuado se necesita precisión mental y control de emociones".

Pero hay algo aún mayor que quedarse con el cerebro congelado al hablar con ejecutivos de mucha importancia. En muchos casos, a la gente le parece más fácil enviar un correo electrónico o un mensaje de texto que tener una difícil discusión cara a cara. Al comunicarse en tiempo real sin un separador, las emociones surgen con mucha más frecuencia. Para decir lo correcto en el momento adecuado se necesita precisión mental y control de emociones.

El control de la mente sobre las emociones debe ser más que un lema

El psicólogo mundialmente reconocido, Paul Eckan, en su libro clásico *Emotions Revealed*, habla de la inutilidad de los autoevaluadores internos que todos tenemos y los ilustra de varias formas, como en el caso de los accidentes automovilísticos que casi ocurren.[14] Por ejemplo, si vas conduciendo por la autopista y ves que un auto viene hacia ti de frente por la rampa de salida, de inmediato giras el volante para salirte del camino del auto que viene. El miedo te hace tomar esas acciones instantáneamente sin tener que pensar en hacerlo. Tu corazón comienza a bombear, la sangre corre por tus músculos y empiezas a sudar. Tu cerebro se pone en piloto automático debido a la emoción de miedo almacenada en tu base de datos emocional para desplegar esas reacciones físicas.

Otro ejemplo: digamos que creciste con una hermana mayor sobreprotectora que te decía qué hacer y 20 años después, trabajas para una jefa. Ella te advierte que el cargo de "ascenso" que tus superiores te han ofrecido en una nueva división se va a terminar en un año, así que no tendrás oportunidad de avanzar. Entonces reaccionas enfadándote contra tu jefa por tratar de "controlarte" y aceptas, sin investigar, el nuevo cargo que te han ofrecido. Tu evaluador automático asume el control basado en la emoción de ira que tienes almacenada por haber sido "sobreprotegido" por tu "hermana mayor" (jefa).

En el caso del accidente que estuvo cerca, esas reacciones inconscientes te pueden salvar la vida. Pero en otras situaciones, la misma reacción inconsciente puede costarte el respeto o incluso tu empleo.

Por ejemplo, digamos que tu compañero de trabajo, Joe, hace un comentario irreflexivo que te avergüenza durante una reunión. Sabes que el jefe lo escuchó. Tu autoevaluador se hace cargo. Reaccionas según tu base de datos de emociones almacenadas de miedo. ¿El problema? Joe sencillamente hizo un comentario a la ligera, él no tenía ninguna mala intención. Los demás no lo tomaron en serio. Pero tus emociones hicieron corto circuito con la reacción emocional contra el miedo. Quedas como un tonto debido a tu reacción airada inapropiada.

Analiza el vínculo entre las emociones almacenadas del pasado y tus reacciones ante las situaciones y personas actuales. Carlos, un conocido mío, mientras hacía una inspección para una compañía de energía, entrevistó a un guardavía respecto a una queja que él había presentado en contra de la compañía. Incluso los lentes de sol que llevaba puestos no lograron esconder su ira a medida que él relataba la injusticia que la gerencia cometió contra él. Carlos escuchó por un rato y finalmente lo detuvo para preguntarle: "¿Eso cuando sucedió?".

"Hace quince años".

Es algo que sucede con frecuencia. Después de mucho tiempo, un padre sigue discutiendo con el árbitro por ponchar a su hijo quien ni siquiera recuerda ese juego. En realidad, la discusión brota de una derrota en el pasado del padre o de su deseo de revivir su propia niñez. Una madre, sintiendo su propia decepción de hace 20 años, reprende al director de la escuela porque su hija ha reprobado algunas clases y no tiene forma de aspirar a ser parte del equipo de porristas. Un miembro de la junta de una organización de beneficencia rechaza las recomendaciones del presupuesto porque los fondos no cubrirán investigaciones sobre una enfermedad que está debilitando a su esposa. Todas son reacciones impulsadas por emociones.

Entender el vínculo del pasado con las reacciones emocionales de hoy es el primer paso hacia la corrección.

Modera tus emociones para que se ajusten a la situación

Quienes tienen una adecuada imagen personal demuestran madurez interior. Moderan sus reacciones para que se ajusten a la situación, a una relación y a sus metas.

La gente anhela tener líderes apasionados que los inspiren, motiven e involucren. Pero las emociones negativas y desenfrenadas de otros se sienten peligrosas y francamente atemorizantes. Es por eso que a veces te sientes más indefenso e incluso avergonzado cuando un compañero de trabajo rompe en llanto delante de ti debido a una decepción, como por ejemplo una ruptura emocional o un beneficio que no se le dio. Las emociones descontroladas son impredecibles y dejan a todo el mundo "expuesto".

Un caso típico: al llegar a la Base Naval de Maryland conocí a Brad, la persona con mayor rango allá; por muchas razones vi que él no se ajustaba a lo que yo pensaba que debía ser un oficial militar. Para comenzar, llegó una hora tarde a nuestra sesión de entrenamiento de las 8:00 a.m. Cuando su asistente administrativa escuchó las bromas y los chistes acerca de "Brad", dijo que se encargaría del "problema de Brad" diciéndole que la hora de inicio eran las 7:30.

Su tacto tampoco era parte del perfil de un jefe. Cuando yo hacía una pregunta para abrir la discusión, los participantes respondían dando sus opiniones. Cuando Brad no estaba de acuerdo con ellos, no tenía reservas para hacérselos saber. Después de todo, él era el jefe y era evidente que no quería que ellos lo olvidaran. Pero tengo que darle una calificación de "excelente" por su participación. La sesión de entrenamiento fue idea suya. Su presupuesto estaba cubriendo el costo; su equipo se vería beneficiado si su personal aprendía a escribir mejores propuestas y haría que sus proyectos fueran financiados. Así que "logró el programa" y al final del primer día de entrenamiento me dijo que la sesión personalizada había dado justo en el blanco.

Lo mismo pasó el segundo día. El tercer día él invitó a todo el equipo a almorzar a un restaurante agradable. Pero media hora después de reanudar el taller, le planteé una pregunta al grupo respecto a los recursos externos para sus propuestas.

De repente un fuerte estallido en el fondo del salón nos sobresaltó a todos y volteamos a mirar hacia atrás para ver cuál silla o mesa se había caído.

Todo parecía estar bien. La única persona que no estaba mirando qué había pasado era Brad. Estaba allí sentado con los brazos cruzados sobre el pecho y mirando hacia el frente. La pregunta en la cara de todos era: "¿Qué fue eso?".

¿Había estado inclinando su silla hacia atrás y se había caído accidentalmente haciendo un gran estruendo? No dio ninguna explicación, sólo se quedó ahí sentado mirando hacia el frente.

Probablemente se siente avergonzado, pensé. Así que seguí con la discusión. Volví a repetir la pregunta e hice una pausa para que alguien me diera su opinión.

De repente, Brad cruzó como un rayo todo el salón, pasó por mi lado y salió golpeando la puerta con tal fuerza que hizo mover el cuadro que estaba colgado en la pared de al lado. Yo volví a mirar al grupo con una expresión en mi cara que decía "¿Qué está pasando?".

Algunos de los miembros de su equipo estaban ruborizados; otros se veían avergonzados. Así que percibí que esa no era la primera vez que ellos veían ese comportamiento. ¿Pero qué lo había enfadado?

Decidimos ignorar lo obvio y continuar con la discusión respecto a cómo ellos podían mejorar las plantillas de sus propuestas. Como 45 minutos después, Brad volvió al salón como si nada hubiera sucedido, tomó asiento y participó el resto de la tarde. (Más tarde, mi colega, que estaba sentado en la parte de atrás del salón, me informó que el primer estruendo había sido Brad que había tomado su carpeta de 3 pulgadas de ancho, la había levantado por encima de su cabeza y la había lanzado contra el piso).

Al final del taller, después que todo su equipo había salido del salón y yo estaba por irme, Brad me dio la siguiente explicación: "Quiero disculparme por perder mi compostura esta tarde. Pero me molestó mucho escuchar a Wendy decir que podríamos obtener recursos externos para desarrollar nuestras propuestas. Eso genera falsas expectativas para los demás. Nunca recibiremos aprobación para tener financiación externa. Ella bien puede sacarse eso de la cabeza. No quiero que el resto de mi gente escuche eso. Sé que eso no tiene nada que ver con usted, es un problema interno. Pero ella lo sabe muy bien como para mencionarlo. En fin, sólo es para que usted lo sepa. El de hoy fue un buen trabajo".

Y se marchó.

Un mes después, Brad nos envió un correo electrónico para decir que él y su personal observaron que los talleres eran muy útiles para ellos, así que nuestro gerente de desarrollo de negocios lo contactó para programar un taller adicional y esta fue su respuesta:

Vernon,

Gracias por el correo electrónico. En el momento no puedo obtener financiación adicional. Vas a tener que hacer seguimiento con otros dentro de la organización para ver si es posible programar otros talleres.

¡Felices fiestas!

Brad

Seis meses después, Vernon le envió un artículo del *Investor's Business Daily*, mencionando asuntos de comunicación de negocios que pensó que le serían de interés. Brad respondió de esta forma:

Vernon,

¡La última vez te pedí muy amablemente que NO me volvieras a enviar correos electrónicos nunca más!

Brad

Cuando Vernon me mostró los dos correos, recordó un comentario inicial que Brad había hecho durante una conversación telefónica cuando estaban coordinando uno de los primeros talleres. "Saldré de aquí tan pronto como tenga otra oportunidad. Estoy cansado de pelear estas batallas".

Algo me dice que va a estar "peleando batallas" a donde quiera que vaya.

Una muestra de ira, palabras cortantes, un desborde de insultos, una puerta azotada, golpear con los pies y salir de improvisto de una reunión, muestran emociones fuera de control. Resulta peligroso para quien tiene esas emociones, ya sea personalmente o por escrito, y es algo que asusta presenciar.

¿Por qué son tan peligrosos esos sobresaltos emocionales? En parte, porque con frecuencia conducen a palabras y acciones que van en contravía de nuestro mejor juicio y compostura, desde palabras hasta acciones, e incluso violencia.

"Al igual que el sarampión, las emociones también son contagiosas. Así como a un fuerte resfriado, las emociones negativas hay que contenerlas. Hasta las emociones de alegría pueden ser descontroladas. Di lo que es honesto, luego detente".

Al igual que el sarampión, las emociones también son contagiosas. Si no lo crees observa a una turba enfurecida. Te reto a que vayas a una apasionada manifestación política o a una polémica reunión de la Asociación de Padres y Maestros, y salgas sin ser afectado. Al igual que un fuerte resfriado, las emociones negativas hay que contenerlas. Seguramente los vendedores profesionales saben que las emociones alegres, expresadas con sonrisas y asintiendo ante los compradores, aumentan las probabilidades de que un cliente refleje esa misma emoción y su decisión de compra.[15] Las emociones se dispersan. Cuando tus emociones estallan afectan a otros, ya sea de forma positiva o negativa. Así que las emociones que reflejes determinan la percepción que la gente tiene de ti.

No te vayas a los extremos

Recientemente escuché a una oradora volver a presentarse desde el escenario ante un grupo, después de haber estado ausente de la industria por más de 20 años. Dio un pequeño discurso de 5 minutos y terminó diciendo: "Los amo a todos y cada uno de ustedes".

¿En serio? ¿Honestamente nos ama a todos? Cuando escucho un cliché como ese (¿Cómo puede? Ni si quiera nos conoce), dudo y descarto todo lo demás que salga de la boca de esa persona. Es posible estar emocionado en ese momento, pero esa emoción posteriormente le dará paso a la razón y al final quedará enfrentando a una audiencia llena de escépticos.

Hasta las emociones de alegría pueden ser descontroladas. Di lo que es honesto, luego detente.

Además de la falsedad, las emociones exageradas insinúan inmadurez. Con cierta frecuencia recibo correos electrónicos que suenan como, "¡Mamá! ¡Mamá! ¡Mira! ¡Mira! ¡Un camión grande de bomberos! ¡Ven y miras! ¡A ti también te va a fascinar!".

Cuídate de usar demasiado los signos de admiración e íconos gestuales que te hacen ver como un niño de segundo grado en la playa. Emociones tan desenfrenadas probablemente funcionan bien en Twitter y Facebook, pero para comunicaciones más formales es mejor que reduzcas su uso.

Elige cómo sentirte

Asumir la personalidad de una bolsa de lona tampoco te ayuda. Mostrarte impasible o demasiado controlado es tan malo como estar fuera de control. La meta es identificar la manera en que te sientes y expresar tus emociones de forma constructiva. ¿Cómo? Elije tu actitud.

Quienes investigan en el tema del lenguaje corporal nos dicen que hay 7 emociones cuya expresión facial es universal e inconfundible: la ira, la tristeza, el temor, la sorpresa, el disgusto, el desdén y la alegría.[16] Piensa en cuántas veces la gente tiene estas emociones en el trabajo. Las fugas ocurren. Es decir, lo que la gente siente sale a flote por medio de su lenguaje corporal, no importa cuánto se esfuerce por disimularlo. Como lo dije anteriormente, usualmente los mentirosos se detectan por emociones que aparecen en sus caras en milisegundos. Es por eso que cuando la gente se siente emocional, su voz se vuelve grave y a eso lo llamamos un "nudo en la garganta". Usualmente un actor profesional es quien sabe fingir una emoción, su existencia o la ausencia de ella.

Así que para no revelar mucha ira, resentimiento, arrogancia, o emociones así, debes cambiar esas actitudes. La psicóloga Carol Tabris, autora de *Anger: The Misunderstood Emotion*, señala los peligros que tiene el expresar la ira, contradiciendo lo que muchos entrenadores y consultores aficionados suelen aconsejar cuando sugieren que "desahogarse" es bueno para ti.[17] A continuación hay algunos de los peligros que ella menciona:

- La ira expuesta destruye las relaciones.
- Las personas airadas no son atractivas socialmente ni son muy apreciadas.
- La ira expuesta usualmente conlleva a retaliaciones.

Definitivamente el objetivo no es reprimir la ira, sino que tú mismo te deshagas de ella al descubrir su fuente y que luego cambies de actitud para que al final también cambies la emoción respecto a la causa. Más bien aprende a hablar de los conflictos de una forma constructiva. Para ver sugerencias respecto a cómo tratar con las 5 causas principales del conflicto, cómo intermediar en él entre amigos o compañeros de trabajo y cómo responder a insultos o críticas, hallarás cientos de consejos en un libro que publiqué anteriormente titulado, *Communicate with Confidence: How to Say It Right the Fist Time and Every Time.*

Las disculpas no solucionan el daño hecho por las manifestaciones de ira o arrogancia. Es mejor elegir cómo expresar tus emociones de forma adecuada, en lugar de ahogarlas esperando que los demás no lo noten, pues lo harán. Ten cuidado con la emoción que muestras y la que dejas salir.

Las emociones que corren desenfrenadas arruinan tus relaciones y tu reputación. Tu imagen personal requiere que moderes tus reacciones para que logres elegir cuándo y cómo expresarlas de la mejor manera. Las disculpas no solucionan el daño hecho por las manifestaciones de ira o arrogancia. Ten cuidado con la emoción que muestras y la que dejas salir.

9

No seas fatalista, pero tampoco suavices las cosas

"Nada impide más el avance del conomimiento que
la ambigüedad de las palabras".
—Thomas Reid

¿Recuerdas la fábula titulada *El cielo se está cayendo?* En caso de que hayas olvidado este clásico, permíteme refrescarte la memoria: un día, un pollito iba caminando por el bosque cuando una bellota le cayó en la cabeza. "¡Dios mío!" dijo, "¡el cielo se está cayendo! Debo decírselo al rey". Cuando iba rumbo al palacio, se encontró con la gallina, quien estaba entrando al bosque a buscar bayas. "¡Ay, no vayas!" le dijo, "¡vengo de allá y el cielo se está cayendo! Acompáñame a decírselo al rey". Así que la gallina lo siguió.

Siguieron juntos hasta que se encontraron con el gallo, quien se dirigía hacia el bosque a buscar semillas. "¡Ay, no vayas!" dijo el pollito. "¡Vengo de allá y el cielo se está cayendo! Acompáñame a decírselo al rey". Así que el gallo lo siguió junto con la gallina.

Siguieron juntos hasta que se encontraron con el pavo, quien se dirigía hacia el bosque a buscar moras. Y sucedió lo mismo.

Al final, se encontraron con el lobo, quien les preguntó hacia dónde se dirigían. Y las aves le dieron la misma advertencia. Pero en lugar de seguir al pollito, el lobo les dijo: "Yo conozco un atajo hacia el palacio". Sólo que no los llevó allá, sino que los condujo a la entrada de su guarida, donde planeaba comérselos a todo para la cena.

Justo cuando estaban a punto de entrar, llegaron corriendo los perros cazadores del rey y gruñendo y aullando empezaron a perseguir al lobo y salvaron al pollito y a sus otros amigos plumíferos. El sabio rey le dio al pollito una sombrilla para cuando volviera a caminar por el bosque.

"La imagen personal fluye de la percepción. La gente se aleja de quienes se aventuran a sacar conclusiones sin evaluar los hechos y de quienes se preocupan en lugar de sopesar las opciones".

¿Entonces, cuál es la moraleja de esta fábula cuando se trata de la imagen personal? Considera la brecha de credibilidad la próxima vez que el pollito advierta a los compañeros de trabajo acerca de peligro inminente.

Pregúntale a George W. Bush cómo se sintió cuando las Fuerzas de la Coalición no descubrieron armas de destrucción masiva en Iraq. No importa que el resto del mundo también pensara que Saddam Hussein tenía escondidas armas de destrucción masiva. No importa que los miembros del Congreso de ambos partidos también pensaran que iban a encontrar armas de destrucción masiva. El ex Presidente escribió en sus memorias *Decision Points:* "Nadie estaba más impactado y enfadado que yo cuando no encontramos las armas. Cada vez que pensaba en eso me daban nauseas. Todavía me dan". En varias entrevistas durante el recorrido de presentación de su libro, el ex Presidente explicó que su decepción se basaba en el temor que tenía respecto al cambio de percepción de la guerra en la mente de los americanos y su respaldo al esfuerzo por liberar al mundo y al pueblo iraquí de Saddam Hussein.[18] La imagen personal fluye de la percepción. El Presidente entendía la gran importancia de la percepción en el liderazgo, en la toma de decisiones y en acciones decisivas.

La gente se aleja de quienes se aventuran a sacar conclusiones sin evaluar los hechos, así como de quienes se preocupan en lugar de sopesar las opciones. La preocupación conduce a una conducta de pesimismo y fatalidad, a un mal juicio y a reacciones precipitadas y exageradas.

La gente tampoco se siente atraída hacia quienes siempre se lamentan y hablan de fatalidad y pesimismo. Un mensaje de desespero no es natural en el ser humano y su necesidad de esperar lo mejor. Nadie se levanta en la mañana y dice: "Voy a escuchar las noticias. Espero que haya habido un ataque terrorista en alguna parte durante la noche o que un tornado o tsunami haya impactado y derribado algunos edificios y matado a algún conocido". ¿Conoces a alguien que al comprar un billete de lotería le diga al vendedor: "Bueno, apuesto a que este es el número perdedor"? ¿Alguna vez, un compañero de equipo te ha dicho: "cuando nos asignaron este proyecto, esperaba que fuera más difícil de lo que describió el jefe"?

Las personas con imagen piensan positivamente y quieren estar rodeadas de otros que hagan lo mismo. El optimismo maduro es la piedra angular de una vida saludable. Así que cuando te quejas constantemente porque "el cielo se está cayendo", los demás llegarán a la conclusión de que estás abrumado, que no te sientes bien preparado ni sabes cómo tratar con las dificultades. Y nada de eso te ayuda a desarrollar imagen y credibilidad.

Dicho esto, la gente tampoco se identifica con la filosofía de *El traje nuevo del emperador*. Cuando surge una situación seria, los líderes no recurren a charlas de ánimo y retórica vacía pretendiendo que todo está bien y que no hay nada de qué preocuparse, cuando todos los involucrados saben que no es así.

Los líderes saben que las palabras le dan forma al pensamiento. Dan señales saludables de esperanza mientras reconocen una situación negativa. Cualquier cambio, personal u organizacional, comienza con ver la realidad y luego idear una propuesta para mejorarla.

Reconoce la verdad

Si las ventas están disminuyendo, dilo. Si tu equipo está teniendo un rendimiento deficiente, admítelo. Si la organización se ve muy mal frente a la competencia, sé claro con las opiniones del mercado. Nada abre más la mente de los demás ni aumenta su respeto por tu credibilidad que admitir la verdad. Y nada reduce más tu credibilidad que ignorar lo obvio o repartir culpas, condenando a otros o buscando chivos expiatorios. Entiendes lo patético que se ve si alguna vez has escuchado a un político tratando de explicar los resultados electorales después de perder por amplio margen, o si has visto a los directores ejecutivos justificando las bajas utilidades después de no haber alcanzado sus metas.

Casi semanalmente a los directores ejecutivos se les pregunta en entrevistas de los medios acerca de la salud financiera de sus organizaciones. A pocos les resulta fácil reconocer los hechos. Seguramente recuerdes esta frase de Richard Fuld, ex Director Ejecutivo de Lehman Brothers: "Vamos por buen camino para dejar estos dos trimestres atrás". Sólo 5 días después, Lehman declaró la quiebra, la más grande en la Historia de los Estados Unidos.

Segunda lección: acepta la responsabilidad que hayas tenido, ya sea en la generación del problema o de la situación. Las personas débiles huyen de la responsabilidad. Las personas fuertes, la asumen.

"Las personas débiles huyen de la responsabilidad. Las personas fuertes, la asumen".

Deja de endulzar lo que ignoras y lo que desconoces

"¡Lo vas a hacer bien!". "Todo va a salir bien, sólo espera y verás". "Todo va a funcionar. Siempre pasa". Esas son afirmaciones que un padre le da a su hijo. Las esperas e incluso las aprecias cuando tienes trece años. Pero esas vacuidades no solamente suenan huecas, sino insultantes, cuando un adulto las escucha por parte de sus jefes, compañeros de trabajo o amigos que por ningún motivo conocen el futuro, ni cómo resultará todo.

Esto no es para decir que no debas dar palabras de ánimo. Puedes y debes hacerlo. Pero para ser de ayuda y animar, tus palabras deben ser las *correctas.* Quienes tienen una buena imagen personal saben qué decir cuando un colega, amigo o familiar enfrenta la ausencia de un ser querido, un divorcio, desempleo, dificultades con un padre o un hijo, u otra tragedia o pérdida que genera emociones fuertes. Se han escrito muchos libros sobre esos temas. (Para ver mis consejos respecto a qué decir o escribir en esas circunstancias, ve a www.sympathylettersonline.com).

Las personas con imagen se esfuerzan por superar los clichés y las palabras huecas que dicen "todo va a salir bien", a fin de ofrecer comentarios significativos que consuelen y ayuden. Se esmeran y se interesan en aprender a decir lo correcto en el momento indicado.

Los líderes entienden la aprensión que los demás sienten ante situaciones negativas y saben reconocer que no tienen todas las respuestas. Más importante aún, se sienten lo suficientemente capaces para sostener a otros basándose en su imagen, en lugar de hacer promesas vacías.

Concéntrate en las opciones

En una situación adversa, la gente con buena imagen usa el poder de sus palabras para hacer que los demás vean alternativas y acciones positivas.

Hace muchos años fui miembro de una gran megaiglesia en la que el auditor informó que el pastor y algunos miembros de su equipo habían hecho mal uso de los fondos dejando a la congregación al borde de la quiebra, con una deuda de más de $6.2 millones de dólares. Debido a la situación, pude ver cómo los miembros del equipo de liderazgo de laicos fueron directos respecto a la realidad de la situación, sin embargo se concentraron en acciones y alternativas positivas.

Por medio de palabras inspiradoras, oración y un positivo plan de acción, después de tres años, la iglesia había pagado esa gran deuda que tenía debido a los malos manejos; además había acumulado fondos adicionales. De hecho, los líderes laicos y el nuevo equipo de trabajo de la iglesia guiaron a unos miembros a fundar otra organización sin ánimo de lucro con el excedente de los fondos reunidos, la cual se conoce como *6 Stones Mission Network* y es ahora una organización sin ánimo de lucro completamente independiente, *6 Stones* (www.6stones.org) ofrece una gran cantidad de servicios para comunidades cercanas: reconstruyendo casas que los gobiernos de las ciudades han ordenado derribar, proporcionando alimento y vestido para personas necesitadas, ofreciendo asistencia médica y educativa, así como proveyendo servicios de consejería.

Esta organización sin ánimo de lucro ha recibido los siguientes reconocimientos por su labor en el Worth Metroplex, de Dallas Fort: premio por el servicio a la comunidad de parte de la Cámara de Comercio, de la Organización Voluntaria del Año de parte del distrito escolar de tres ciudades y de la Organización Voluntaria del Año de parte de la ciudad de Euless, Texas.

Lo que podría haber sido un desastre emocional, espiritual, financiero y legal para sus casi 10.000 miembros y sus familias, se ha convertido en una inspiración y cuerda de salvamento para literalmente miles más.

Para mejorar tu credibilidad, deja de endulzar las cosas y deshazte del comportamiento deprimido. Conviértete en líder intelectual que habla directamente de los temas importantes.

10

Haz que la conversación avance

"Tu conversación es tu publicidad. Cada vez que abres la boca dejas que los demás vean tu mente".

—Bruce Burton

Usualmente, cuando un periodista hace una entrevista por teléfono, tiene un ángulo de la historia en mente y prepara sus preguntas para dirigir la conversación. Pero sus preguntas no siempre suelen llegar al centro del problema. Desde luego que no es su culpa. Es sólo que no conoce el tema tan bien como la persona entrevistada. Así que si un experto en la materia se limita a responder a las preguntas, el reportero termina colgando el teléfono decepcionado o sin la historia completa.

Analiza el concepto de "puntos de conversación" en un entrenamiento personal en los medios dirigido a autores, estrellas de cine, políticos, directores ejecutivos y cualquiera que vaya a estar ante la mirada del público. Otros que quieren mejorar su imagen en el mercado, pueden aplicar uno o dos consejos de este concepto.

Prepara puntos de conversación

¿Alguna vez has tratado de involucrar a alguien en una conversación pero sólo obtienes respuestas limitadas? Imagínate en esta situación:

Lanzas tu primer comentario: "Depak y Sonya son muy buenos anfitriones de reuniones, ¿cierto?".

Y la respuesta que obtienes es: "Sí, así es", y luego un gran silencio.

Así que vuelves a intentarlo: "Escuché que la solicitud de patente del equipo de ingeniería fue rechazada la semana pasada. Supongo que fue muy decepcionante. Ellos contaban con eso para lanzar toda una nueva línea de máquinas".

Y nuevamente la respuesta es: "Eso fue lo que escuché".

Y silencio.

"¿Cómo se verá afectada tu dependencia debido a eso?" insistes. "Todavía no lo sé".

Incluso un saludo automatizado responde lo suficientemente bien para llevarte a la siguiente opción del menú.

Cuando sabes que vas a participar en la conversación de una reunión importante, dando tu opinión sobre un tema controversial o defendiendo un aumento de presupuesto, prepara de antemano una lista de puntos esenciales que quieres comunicar. ¿Cuántos y qué tan detallados? Para eso no hay una norma establecida. Pero dos son muy pocos, y nueve son muchos. Sólo sé claro, sé breve y sé memorable.

Este es un ejemplo de mis puntos de conversación para una corta entrevista respecto a mi libro anterior, *The Voice of Authority: 10 Communication Strategies Every Leader Needs to Know:*

— La sola información no es comunicación.

— La información es a comunicación, lo que los rayos X son a la cirugía.

— *Estado Actual: Es asertivo.*

— *Consistente: palabras* versus *políticas.*

— *Preocupación: Encuestas en los hospitales.*

Esos recordatorios me ayudan a tener una entrevista de cinco o de cuarenta y cinco minutos. Son el esqueleto sobre el cual reposan los músculos de mis ideas y de mi trabajo.

Prepara tus puntos de conversación para esa importante reunión, conversación, agenda de creación de contactos o entorno, en lugar de tener que luchar para llegar a la meta.

Aprende a integrar

En los mapas de parques de diversiones has visto los puntos "Usted está acá". Piensa en afirmaciones de integración que hagan que la conversación o la reunión avance desde el punto donde se encuentra hasta donde tú quieres ir. La meta es que sencillamente decidas cuál es la frase de conexión adecuada que lleva el punto actual hasta tu punto de entrada. A continuación hay unas de las frases de conexión más genéricas que casi siempre te funcionarán bien:

— Una de las preguntas más importantes que debemos plantearnos respecto a esta situación es bla, bla, bla...".

— "Creo que el tema más urgente es...".

— "De hecho, lo que más me emociona de todo este proyecto es...".

— "No olvidemos que la clave para nuestro éxito en esto será...".

— "Lo que no debemos pasar por alto en todos estos detalles es la meta primordial de...".

— "Puedes tener razón respecto a todos los aspectos mencionados, pero para mí el valor real estará en...".

— "Todo eso es cierto, pero no olvidemos que la falla fundamental de este plan es...".

— "Aunque todos estos detalles son intrigantes, el tema central sigue siendo...".

— "Entiendo tu punto. Pero la prueba crucial del plan será...".

— "Haciendo a un lado estas cosas, nuestra preocupación real siempre debe ser...".

Esas afirmaciones de conexión conducen a la siguiente intersección de ideas. Le dan enfoque a la discusión y te ayudan a ver como un líder intelectual.

Replantea para actuar

Los padres lo hacen. Los esposos lo hacen. Los vendedores también lo hacen. Quienes hacen las leyes lo hacen. Los políticos lo hacen. Los gobernadores lo hacen. Todos replantean ideas para ayudar a darle una nueva forma a la manera de pensar de los demás.

Tú: "¿Entonces, por qué no puedo ir a la fiesta? ¡A todos los demás los van a dejar ir sus padres!".

Tus padres: "¿Así que si todos los demás saltaran de un edificio, tú también lo harías?".

Si en tu adolescencia tuviste esa conversación con alguno de tus padres, por favor levanta la mano. Eso es replantear una situación como padre. Desde que nacimos, nos hemos visto expuestos a eso por parte de todas las personas que han querido influenciarnos.

Las personas mayores en busca de empleo replantean sus respuestas haciendo énfasis en la experiencia cuando temen que un potencial empleador vacila en contratarlos debido a su edad. Recuerdo haber entrevistado a una aspirante mayor que quería el doble del salario que un recién graduado en su campo. Cuando le pregunté por qué la diferencia de salario frente a sus competidores, ella replanteó la respuesta de esta manera: "Lo que aporto frente a algunos de los graduados más recientes es madurez y juicio que no encontrarás en una persona de 30 años". Luego pasó a enumerar todas las decisiones que requerían un juico maduro en ese cargo.

Otro replanteamiento exitoso en el mismo tema de la edad: Ronald Reagan en 1984. Muchos temían que él no iba a poder derrotar a Walter Mondale debido a su avanzada edad y Reagan quería dejar el asunto en paz. Cuando en el debate surgió la pregunta en cuanto a la edad, él respondió con este replanteamiento ante el asunto: "No haré que la edad sea un tema de campaña. No voy a explotar para fines políticos la juventud e inexperiencia de mi oponente". Esa sola frase de Reagan lo tumbó todo. Incluso Mondale se rió. Y el asunto de la edad desapareció de las discusiones de campaña.

Pero los replanteamientos se dan en entornos cotidianos con mucho menor esfuerzo, incluso con sutiles elecciones de palabras: Los "despidos" ahora se llaman "redimensionamientos". Un "auto usado" ahora es un "auto de segunda mano". Los "vendedores" ahora son "asesores" o "consultores". Los "recortes de impuestos" ahora son "reducciones de impuestos". El debate de las "escuelas privadas" ahora se trata de "elección de escuela". Las organizaciones ya no tienen "problemas", sólo tienen "retos" o "iniciativas". La gente ya no "discrepa" con sus colegas; sólo tiene "dificultades" con las opiniones de sus colegas.

Y desde luego, los políticos seguirán haciendo uso del replanteamiento para llevar a los electores a votar. El aborto ha sido replanteado como un asunto "pro elección". Cuando se presentó el cobro de salud, las "juntas médicas" fueron replanteadas como "comités de muerte". Para los clientes, los profesionales de ventas replantean el "costo" como una "inversión". Los políticos han aprendido de ellos y han enmarcado nuestro "déficit de gasto" como "inversión a futuro".

El replanteamiento se da a mayor escala con situaciones como éstas:

— Un elector dice: "No estoy de acuerdo con las políticas de la alcaldesa. Ella y su equipo replantean la oposición de esta manera: 'La gente siempre ha tenido prejuicios raciales en nuestra comunidad, pero estamos tratando de adelantar estas medidas sin importar quiénes se opongan'". (La oposición queda enmarcada como un prejuicio racial en lugar de una discrepancia con las políticas).

— Un padre protesta por las actividades del campus en la escuela de su hijo, pero la junta de la escuela se rehúsa a votar a su favor en ese tema. El padre replantea el voto en una carta que envía al editor del periódico local: "Los miembros de la junta de la escuela se rehusaron a prohibir las actividades de un grupo en el campus porque le temen a la reacción de una pequeña pandilla de estudiantes populares y sus padres". (La oposición queda mejor enmarcada como favoritismo hacia una minoría ruidosa que como una diferencia frente a las políticas de la escuela).

Estos replanteamientos representan razones egoístas o negativas.

Pero si quieres ser visto como un líder intelectual, busca situaciones en las que haya desacuerdos y replantea las cosas para unir a los demás. En lugar de permitir que el replanteamiento genere conflicto y decepción, plantea el uso del pensamiento lógico y aclara la situación.

Busca situaciones potencialmente negativas y replantéalas de forma positiva para llevar a los demás a aceptar el cambio. Busca colegas que no estén a gusto con el avance de su profesión o que se sienta estancados en una situación no favorable, y replantea oportunidades para ayudarlos a desarrollar su máximo potencial. Te verán como un catalizador para la acción y posiblemente como su mentor.

Hace muchos años en nuestra organización, contratamos a alguien de una gran institución financiera para que fuera nuestra Vicepresidenta de mercadeo. Era una persona cálida y agradable que rápidamente tuvo empatía con su equipo de apoyo mientras se programaban para establecer nuevas iniciativas de mercadeo estratégico ya que la menta final era que ella asumiera la gerencia general. Pero después de varios meses, se hizo evidente que ella no tenía la experiencia para esa meta y decidimos tomar caminos separados. Después de eso, yo anuncié su renuncia al equipo y la que había sido su asistente directa quedó muy decepcionada por su partida y temía que lo que habían planeado durante los últimos seis meses no iba a rendir frutos. Para ella todo estaba perdido con la salida de su jefe.

Pero otro especialista de mercadeo en el mismo cargo le replanteó la situación de esta manera: "Esto nos da la oportunidad de mostrar lo que podemos hacer nosotros mismos. Hemos hecho parte importante en esta planeación. En serio, todo lo que ella hizo fue liderar las reuniones y hacer que nosotros aportáramos ideas. De todas formas fuimos tú y yo quienes siempre ejecutamos los planes".

Ese replanteamiento fue suficiente para hacer que ella cambiara de manera de pensar. Los dos se encargaron de los planes según cómo se habían trazado.

Con tus palabras influyes como en la clásica escena del vaso medio vacío o medio lleno. El hecho de replantear suele darle nueva forma al proceso de pensamiento con mis clientes. Algunos jefes que suelen iniciar el proceso de entrenamiento no explican bien por qué envían a alguien al entrenamiento. Así que la persona que va a ser entrenada llega con esta actitud: "Mi desempeño no debe ser satisfactorio. Si no mejoro probablemente no me tengan en cuenta para el ascenso. Mi empleo puede estar en riesgo".

Pero con otros clientes, el director ejecutivo ha hecho un excelente trabajo al explicarles por qué quiere que esa persona reciba entrenamiento. Esos clientes llegan a nuestro centro de entrenamiento emocionados por sus sesiones. Por lo general después de nuestras primeras juntas, comparten una conversación previa con su jefe, la cual suele ser algo como esta que tuve hace poco: "Mi jefe es el director financiero y es muy bueno en lo que hace. He estado presente en nuestras reuniones anuales de accionistas y también en las reuniones de todo el personal en las que somos cerca de 2.800 personas del área financiera. Sin importar cuándo lo interroguen, él siempre está tranquilo. Él dice que tuvo unas sesiones de entrenamiento con usted y que han sido de gran valor para él. Así que me siento afortunado porque la compañía haga esta clase de inversión en mí. Quiero aprovechar al máximo este tiempo.

El replantear hace toda la diferencia.

Replantea para moldear el enfoque hacia el compromiso en lugar de las quejas, hacia las soluciones en lugar de los problemas, hacia la acción en lugar de la pasividad.

Así como en los deportes, casi cualquier jugador en el campo toma el balón de la conversación y falla, enredándose o recuperándolo. Pero las estrellas atrapan el balón y lo llevan adelante. Las personas con una imagen apropiada hacen que su mensaje se entienda, ya sea replanteando o conectando sus puntos de conversación. Cuando alguien te haga un pase en la conversación, juega para anotar.

TERCERA PARTE:
CÓMO PIENSAS

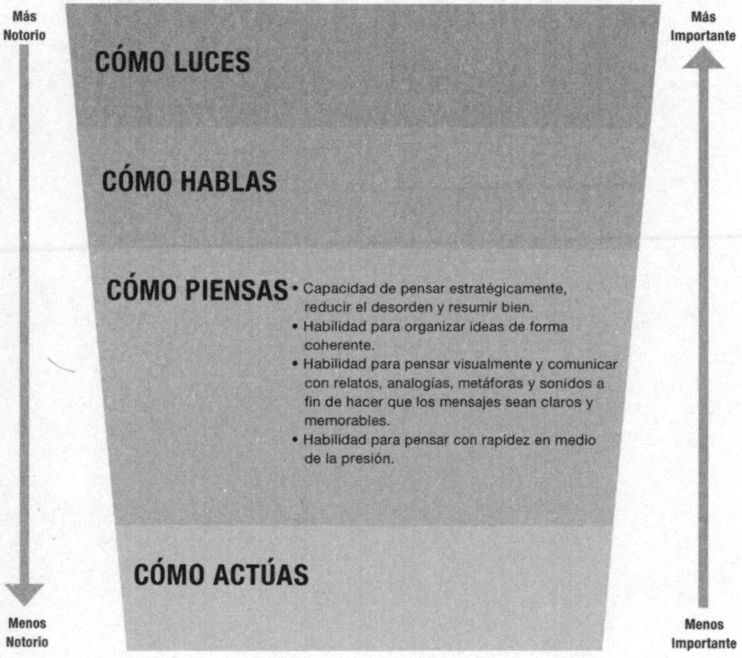

Más
Notorio

Más
Importante

CÓMO LUCES

CÓMO HABLAS

CÓMO PIENSAS

- Capacidad de pensar estratégicamente, reducir el desorden y resumir bien.
- Habilidad para organizar ideas de forma coherente.
- Habilidad para pensar visualmente y comunicar con relatos, analogías, metáforas y sonidos a fin de hacer que los mensajes sean claros y memorables.
- Habilidad para pensar con rapidez en medio de la presión.

CÓMO ACTÚAS

Menos
Notorio

Menos
Importante

11

Piensa estratégicamente

"Me gusta pensar en grande. Siempre lo he hecho. Si vas a pensar en algo, también deberías hacerlo en grande".

—Donald Trump

El pensamiento estratégico te saca del montón. Entonces, ¿cuál es la diferencia entre el pensamiento estratégico y el pensamiento táctico y cómo te hace ver como una persona con imagen? Primero, considera estas diferencias:

Pensamiento estratégico versus pensamiento táctico

Afirmación de perspectiva u organización central común **versus** acciones u operaciones día a día.

Preocupación a largo plazo **versus** preocupación a corto plazo.

Entender por qué hacer algo **versus** entender cómo hacerlo.

Mental, conceptual **versus** físico, tangible.

Hacer lo correcto **versus** hacer las cosas bien.

Concentrado **versus** disperso.

Mapas **versus** herramientas para el viaje.

Estructura **versus** quién y qué se pone en la estructura.

"La persona con imagen sabe el por qué detrás del qué y el cómo".

La diferencia más importante de estas premisas deben ser la claridad y la seguridad para contestar: ¿Cuál es la meta, el propósito, el mensaje, la lección aprendida, la conclusión o el plan? La persona con imagen sabe el por qué detrás del qué y el cómo.

Separa lo importante de lo trivial

Cuando entiendes el principio predominante del por qué, los demás puntos del listado anterior caen en su lugar: hacer lo correcto, concentrarse, crear el mapa. La organización y el cambio se hacen de forma natural en tus tareas diarias.

Muestras tu habilidad para pensar estratégicamente cuando seleccionas cuál es la información adecuada para entregar y renuncias al impulso de oprimir sobre el botón "enviar" cada vez que lleguen nuevas estadísticas a tu correo. Callas ante el deseo de "hablar tu verdad" en una reunión cada vez que un pensamiento se cruza por tu cabeza.

Una de las dificultades más frecuentes entre los clientes de entrenamiento es la preocupación respecto a cómo preparar presentaciones estratégicas según el nivel adecuado de la sala de juntas. Por lo general lo manifiestan como lo hizo Roger hace poco: "Tengo una reunión mensual con todo el equipo en las que doy un típico resumen del mes, así también tengo una reunión cada tres meses con el presidente de nuestra división. Una vez al año viajo a las oficinas principales y hago esa presentación ante la junta. Sencillamente no sé qué tantos detalles debo dar. Nuestro presidente me ha dicho muchas veces que debo concentrarme en lo realmente importante". Se encogió de hombros. "Pero soy ingeniero".

La autoevaluación de Roger era acertada. Su jefe me había llamado antes de mi sesión con Roger para darme su opinión. "Roger es un hombre brillante pero necesita algo de pulimiento antes que pase a un cargo ejecutivo. Da muchos detalles en sus presentaciones. De hecho, se pierde, especialmente en la parte de preguntas y respuestas. Conoce tan bien el tema que quiere decirles *todo* a los demás y vacila respecto a *qué* decir. Por eso, suena como un tonto balbuceando". Sugirió que en mi sesión con Roger, para sus presentaciones, lo ayudara a aprender a separar lo táctico de lo estratégico y lo trivial de lo importante.

"Aprende a cómo identificar lo importante entre la gran cantidad de información que tienes. Tu reputación descansa en lo que eliges decir, cómo distribuyes tu tiempo y qué información decides presentar".

¿En la próxima alocución televisiva del Presidente, la cual tiene que ver con la reforma financiera, puedes imaginártelo explicando cómo llenar el formulario de impuestos 1040? ¿O qué tal si el Secretario de Defensa intentara explicar cuáles unidades militares de cuáles países han sido entrenadas en el manejo de qué armas? ¿A juntos se les dificultaría mantener tu interés?

En lugar de eso, el Presidente presenta su estrategia de impuestos: estos van a subir o bajar para este o aquel grupo de personas. El Secretario de Defensa nos explica que tenemos una creciente amenaza de parte de terroristas de determinado territorio y que estamos reforzando las medidas de seguridad en ese lugar al no aceptar envíos provenientes de allá. Ellos tienen un mensaje estratégico que comunicar y se rehúsan a desviarse con detalles técnicos.

(Antes de que digas que conoces a muchas personas que tienen la cabeza tan arriba en las nubes que no tienen los pies en la tierra, déjame aclarar a qué me refiero con lo importante y lo trivial: el dolor en un diente puede ser importante si es tu diente y si estás dopado con analgésicos justo el día en el que tienes tu audiencia con los analistas de Wall Street).

Aprende a cómo identificar lo importante entre la gran cantidad de información que tienes. Tu reputación descansa en lo que eliges decir, cómo distribuyes tu tiempo y qué información decides presentar.

Ajusta tu nivel de acercamiento

La Doctora Rosabeth Moos Kanter, Profesora de Administración de Empresas en la Universidad de Harvard, sugiere una muy buena metáfora para dos formas de pensamiento estratégico: considera el nivel de acercamiento de una cámara fotográfica. Puedes usar el acercamiento para tener una vista de detalles específicos, pero estar tan cerca que pierdes el contexto general así que le pierdes el sentido a lo que estás viendo. Entonces alejas el enfoque para ver el cuadro completo, pero pierdes detalles básicos y sutiles que van a ayudarte a evitar tomar una mala decisión. En su artículo de la revistas *Harvard Business Review,* la Doctora Kanter presenta tres ventajas y desventajas de ambas perspectivas para los líderes.[19]

Como una cámara con un lente de acercamiento que funciona mal, algunas personas se estancan en un modelo de pensamiento estratégico. Ese modelo puede ser estratégico de muchas maneras, pero sigue siendo limitado. Tomemos como ejemplo a una gerente a quien llamaré Kelly Smith. Como empresaria, Kelly lanza una nueva agencia de publicidad. A medida que la firma crece, ella quiere reinvertir todas sus utilidades en el negocio, abrir nuevas agencias en otras ciudades tan pronto como le sea posible hacerlo y rentar una prestigiosa oficina en esas ciudades tan rápido como obtenga un par de cuentas con clientes corporativos importantes para tener la capacidad de pagar los gastos generales y los salarios en esas firmas. Puede dejarse llevar por el atractivo de las crecientes utilidades al crear una reputación "nacional" y tener una envidiable lista de clientes.

Pero cuatro años después de iniciar se encuentra trabajando hasta dieciocho horas al día y está desgastada emocionalmente al no tener un sistema implementado ni un equipo administrativo profesional; todos los clientes la llaman para lograr "tratos" especiales porque ella es la que los llevó a bordo y con poco efectivo para finalizar el siguiente proyecto. Kelly pudo haber sido estratégica con su visión y haber aprovechado rápidamente las oportunidades, pero con mucha frecuencia "hace acercamientos" sobre cosas específicas para ver el panorama financiero y de personal.

Después de desgastarse a sí misma, digamos que se da un largo periodo sabático y vuelve a trabajar decidida a alejar el enfoque. ¿Qué pasa si se queda estancada ahí? Puede dejar de ver y tratar con la creciente frustración de sus empleados en varias ciudades. Es factible que empiece a desconocer qué tendencias están surgiendo en la industria de la publicidad. A lo mejor pierde una oportunidad clave para comprar a un competidor en Peoria. Posiblemente no vea una tecnología innovadora que los clientes están solicitando. Al trabajar en medio de la batalla, ella puede estar implementando estrategias, principios y procesos que ya son obsoletos en una industria que avanza a pasos rápidos.

Si alguna vez has contratado a un fotógrafo profesional para un evento importante como una boda, una reunión familiar, una graduación o las Bodas de Oro de tus padres, entonces sabes que ese fotógrafo va a tomar cientos de fotos para terminar presentando cuarenta útiles. Los acercamientos capturan la emoción, la energía y la alegría. Las tomas amplias capturan el contexto y las relaciones. Ambas las disfrutas.

Así que las personas con imagen no pueden permitirse el quedar estancadas con sólo una perspectiva disponible, así sea estratégica. Constantemente ajustan sus lentes para ver los hechos, la situación, el problema o la decisión, desde todos los puntos de vista. Luego deciden y actúan.

Pregunta: "¿Por qué no?"

Es posible que no estés liderando en un mundo libre, pero cada líder puede pensar estratégicamente respecto a su empleo o proyectos. Aunque no hay una definición comúnmente aceptada para pensamiento estratégico, los últimos análisis dicen que el pensamiento estratégico se concentra en el "por qué" y en el "qué tal si" (no en el pensamiento convencional del "qué"). ¿Por qué hacer las cosas de cierta manera? ¿Cómo lograr resultados diferentes y mejores? ¿Cómo aprovechar las oportunidades que tenemos ante nosotros?

¿Por qué no ir un paso más allá para concentrarse en el "¿por qué no?"? Mira lo que hacen los demás y concéntrate en la dirección opuesta. ¿Por qué no hacer las cosas de otra manera? No estoy hablando de ser un contradictor sólo por el deseo de captar la atención o para fines de promoción de marca, sino de generar ideas respecto a un proceso simplificado, aprovechar las nuevas oportunidades y generar innovaciones de productos provocativos.

Cuando un pensador táctico informa sobre un problema, dice cómo corrigió una situación actual o qué anda mal con la perspectiva, la idea o el plan. El pensador estratégico dice cómo va a evitar el problema o aprovechar las oportunidades generadas por el "problema". El libro *Flash Foresight*, escrito por mi colega y empresario Dan Burrus, presenta 7 principios de pensamiento estratégico para poner en práctica:[20]

- Comienza con la seguridad acerca de las fuertes tendencias.
- Anticipa. Basa las estrategias en lo que sabes acerca del futuro.
- Transforma. Usa los cambios tecnológicos para tu ventaja.
- Pasa por encima de tu mayor problema. Cuál es el verdadero problema.
- Haz lo opuesto. Haz lo que nadie más está haciendo.

- Redefine y reinventa. Apalanca tu singularidad.
- Dirige tu futuro.

El mejor de estos es el principio de "hacer lo opuesto". Cada vez que Dan y yo conversamos acerca de nuestro trabajo y respondemos la típica pregunta: "¿Qué hay de nuevo?" él siempre termina con el mismo refrán: "Trato de ver qué es lo que los demás están haciendo para no hacerlo". Su libro presenta una muy buena cantidad de ejemplos que demuestran lo bien que funciona ese principio: Southwest Airlines, Amazon, Crocs, JetBlue, Netflix, Starbucks, Zappos.

> "Las personas con imagen rara vez se apresuran a emitir juicios sobre las personas, las situaciones o la información. Se acostumbran a escuchar primero, observar, reunir y evaluar la información".

Asimila la información antes de hablar

Las personas con imagen rara vez se apresuran a emitir juicios sobre la gente, las situaciones o la información. Se acostumbran a escuchar primero, observar, reunir y evaluar la información. Como miembro de dos foros de directores ejecutivos, así como en mi trabajo de consultoría, constantemente recuerdo esta diferencia: las personas que tienen una imagen establecida permanecen alertas, recolectan información y piensan antes de hablar. Quienes carecen de imagen, no son buenos asimilando la información, expresan rápidamente lo que están pensando y suelen lamentarse por lo que dicen.

Haz preguntas reflexivas que hagan pensar a los demás

Los equipos de administración ejecutiva insisten en que un valor clave que las juntas de consultoría ofrecen es hacer las preguntas correctas para guiar el pensamiento y evitar pasos en falso. Los consultores efectivos les proporcionan a sus clientes el mismo servicio. Van a la organización, escuchan la situación y los planes, analizan la información y hacen preguntas. Su valor no siempre está en las respuestas que dan sino en las preguntas que hacen.

Los inventores se tropiezan con nuevos procesos y nuevos productos porque tienen mucha curiosidad y constantemente hacen preguntas que los hacen pensar a ellos y a otros, y luego descubren o desarrollan respuestas.

Con el paso de los años los pensadores estratégicos han hecho preguntas como estas:

— ¿Por qué necesitamos que alguien opere esta máquina? ¿Podemos automatizar este proceso?

— ¿Cómo podríamos dejar de prestarles este servicio a nuestros clientes pero seguir cobrando el mismo precio?

— ¿Será que los clientes preferirían servirse ellos mismos en lugar de pagar algo extra por el servicio?

— ¿Pagaría una persona algo más por tener un servicio exclusivo y personalizado? De ser así, ¿cómo hacemos para personalizar nuestro servicio?

— ¿Un comprador subastaría, compraría y vendería por internet, costosos artículos usados sin poder verlos personalmente?

— ¿Por qué alguien leería una novela en una pantalla?

— ¿Por qué la gente gastaría dinero real en una porción de tierra imaginaria en el ciberespacio?

"Entre más estimulante sea tu pregunta, por lo general los demás percibirán tu imagen como mejor posicionada así como tu aporte al resultado".

Asegúrate de que lo que escribes refleje lo que piensas

En sus autobiografías, Lack Welch, ex Presidente y Director Ejecutivo de General Electric, y Lee Iacocca, legendario Presidente y Director Ejecutivo de Chrysler, insisten en que una de las razones principales por las cuales les solicitaban a sus subordinados que les presentaran reportes, era para ver cómo pensaban. Ellos querían ver qué tan bien sabían presentar un caso para este o aquel curso de acción. La persona que escribía, ¿podía ver oportunidades y analizar riesgos y recompensas de forma lógica? Tales reportes servían de plataformas o "pruebas" para ascensos.

El lado negativo: es posible pensar de manera estratégica, pero aun así no escribir bien debido a que no has desarrollado tus habilidades de escritura. La gente escucha que dices algo y tres días después olvida lo bien o lo mal que expresaste tus ideas. Pero cuando escribes, tu manera de pensar queda capturada de forma permanente para que los demás la vean. Tu personalidad queda vinculada intrínsecamente a esa foto de tu proceso de pensamiento.

Así que considera cuán importantes son las buenas habilidades de escritura ya que son como una foto instantánea de tu pensamiento estratégico.

Tu imagen mental refleja tu manera única de pensar de una forma tan reconocible como tu lenguaje corporal. Eres lo que piensas y como piensas eres.

"El pensamiento estratégico te identifica de forma única como la persona a quien acudir para tener una perspectiva aguda, un análisis acertado de los problemas e ideas innovadoras. No estoy diciendo que el pensamiento táctico sea innecesario. Por el contrario. Las mentas exigen ejecución táctica. El pensamiento táctico es muy importante, pero es mucho más común entre tus compañeros de trabajo. Y por lo general, son los pensadores estratégicos los que firman los cheques de pago".

12

Ve al grano

"Si necesitas muchas palabras para decir lo que estás pensando, toma más tiempo para pensar".

—Dennis Roch

"Fue el mejor de los tiempos, fue el peor de los tiempos". Es la famosa apertura de la obra de Charles Dickens, *Historia de dos ciudades*, que ilustra los principios por los cuales las personas con imagen piensan y planean sus comunicados.

- Capta la atención para que te escuchen.
- Resume brevemente para ser claro.
- Sé breve para ser apreciado.

Los comienzos deberían captar la atención, ya sea que estés escribiendo una novela épica, contando una anécdota o presentando tu presupuesto para el año. Pero los comienzos no pueden ser muy largos o se tornan un tanto confusos. Es por eso que la sabiduría convencional de Hollywood es nunca vender tu película si no puedes resumir el argumento en una sola frase.

He adaptado ese principio al mercado de esta manera: nunca venderás una idea en la sala de juntas si no puedes resumirla en un párrafo. ¿Qué mejor que empezar con esa meta?

"Si no puedes escribir tu mensaje en una frase, no puedes decirlo en una hora". Esa frase viene de mi libro anterior *Speak with Confidence: Powerful Presentations That Inform, Inspire and*

Persuade, y la publiqué inicialmente en Tweeter a comienzos del año 2009 como uno de mis consejos diarios para presentadores. Hoy, dos años después, ese comentario todavía sigue siendo reenviado. Creo que su larga vida en el ciberespacio se debe a la frustración que los demás sienten cuando se quedan en una conversación o reunión con colegas que divagan sin parar ni plantear nada con claridad.

"Nunca venderás una idea en una sala de juntas si no puedes resumirla en un párrafo".

Las corporaciones les pagan millones de dólares a las agencias de publicidad cada año para que creen anuncios que hagan exactamente eso. También les pagan a cadenas y a compañías de televisión por cable para que transmitan anuncios en el Súper Tazón con un mensaje resumido. De hecho, ha habido años en los que la competencia entre los patrocinadores que compran espacios de publicidad para que sean transmitidos durante el Súper Tazón, ha eclipsado al juego mismo. El juego de la publicidad para el Súper Tazón se ha convertido en quién puede dar a entender algo con la menor cantidad de palabras posible para lograr las mayores carcajadas. Claro está, después del juego, los analistas sugieren que algunos anuncios no alcanzaron el mercado de acuerdo con ese primer criterio: darse a entender. El anuncio logra una risa y un voto, pero al siguiente día nadie recuerda el producto o el mensaje.

Esa realidad me lleva al siguiente punto: quienes tienen imagen, también tienen un truco para ir al grano y expresar con *claridad* el mensaje central.

Probablemente hayas escuchado el viejo chiste entre vendedores en el que les ofrecen a los clientes: "Lo entregamos barato, rápido y bien. Elija dos de esas tres". Contrario a lo que algunos profesionales técnicos dicen que es imposible, los pensadores estratégicos entregan su mensaje de forma breve y clara.

Profundicemos más en estos tres principios: ser breve, claro y desafiante.

Capta la atención para que te escuchen

Dave Cote, Director Ejecutivo de Honeywell Corporation, en un discurso recientemente dado ante la Cámara de Comercio de los Estados Unidos, comenzó de esta manera:

"Ya se han sembrado las semillas para la próxima recesión. La carga de la deuda acumulada nos va a hundir durante los próximos 10 años. Y hay que tomar una decisión de dos maneras posibles. Una manera es hacerlo ahora mismo, de forma proactiva y cuidadosa. La segunda manera es esperar hasta que el mercado de bonos nos obligue a hacerlo. Podemos preguntarle a Grecia cómo es eso".

Esta presentación comienza y termina con el mismo mensaje. Es decir, "¿Todavía tenemos la voluntad política para hacer las cosas difíciles que hay que hacer en la vida? ¿Qué vamos a preferir: aunar esfuerzos o separarnos?". Es una pregunta importante para todos nosotros los americanos. Algunos países creen que los Estados Unidos nunca van a saber cómo solucionar el problema porque ya no tenemos la voluntad política para hacer las cosas difíciles, que nuestro tiempo ya ha pasado y que vamos a preferir discutir y culpar a otros en lugar de asumir la responsabilidad de una decisión colectiva tan crítica. Como estadounidense, discrepo de esa opinión... pero también sé que se necesitan estadounidenses que *presionen* y que el Presidente y el Congreso *lideren* para hacerlo realidad. Y *cada uno* de ustedes puede ayudar.

Espero tener su atención... así que comencemos.[21]

¿Estás de acuerdo con que las palabras directas del Director Ejecutivo Cote sirvieron como ejercicio de calentamiento? Él ya tenía la atención de sus oyentes.

Por otro lado, mi cliente, Pete, se veía un poco molesto consigo mismo durante nuestra sesión. Le había pedido que para la próxima sesión volviera a pensar en su frase de apertura para una presentación que estaba preparando para su junta directiva. Llevaba diez minutos garabateando en su block de notas, tratando de reorganizar sus pensamientos antes de volver a pararse a practicar su parte introductoria.

Una vez más, comenzó con un ejercicio de calentamiento: "Aprecio el tiempo de hoy para darles un breve resumen de nuestro éxito con las 4 nuevas líneas de productos que presentamos el año pasado, para explicar los retos de mercadeo que hemos enfrentado y decirles cómo planeamos manejar esos retos para los próximos meses. Primero, como ya saben, bla, bla, bla..."

Por 2 ó 3 minutos más, continuó describiendo lo que *iba* a decirles luego, durante su intervención de 20 minutos.

"Pete, déjame detenerte acá". Apagué la cámara y volví a pedirle lo mismo que le había pedido anteriormente. "Lo que necesitamos es una apertura en grande que realmente les informe. Algo que cautive su interés o que demuestre los éxitos de mercadeo o los retos para este año. Tratemos de comenzar de nuevo con tu mensaje de fondo de una vez, el que habías hecho antes". Ya habíamos pasado por la fase de pensamiento y era evidente que tenía claro el punto al que quería llegar. De hecho, mientras conversábamos casualmente, expresó bien su mensaje y sacó 3 puntos que tenía para respaldarlo. Tenía anécdotas e ilustraciones para cada punto. Así que ¿por qué se había "quedado en blanco" ahora que estaba frente a la cámara?

Entonces Pete comenzó de nuevo: "Gracias por asistir... Lo que quiero hacer es presentar un panorama de bla, bla, bla..." El mismo problema. Hacía una declaración de propósito, una promesa de decirle algo a su audiencia, pero *después*. La segunda vez lo detuve:

"Pete, todavía estás haciendo una promesa. Estás prometiendo decir algo, después. Dímelo AHORA. ¿Que es lo elemental del mercadeo? ¡Ya quiero irme a almorzar!".

Hizo una mueca, metió las manos en los bolsillos y comenzó a sacudir la cabeza como un perro regañado. "Lo estoy haciendo otra vez, ¿verdad?".

Yo asentí.

"Odio cuando mi gente me hace eso. De hecho, los interrumpo cuando entran y comienzan a decirme una larga historia. Así como usted me acaba de interrumpir. No tengo tiempo para eso. Les digo que vayan al grano. Y aquí estoy yo tratando de hacer lo mismo en mi propia presentación ante un salón lleno de directores ejecutivos".

La tercera vez fue encantadora. Él entendió el concepto. "Haz a los demás..."

Resume brevemente para ser claro

Suena simple, y realmente lo es.

Probablemente hayas visto este comercial para The Ladders, sitio de búsqueda de empleo en internet exclusivo para candidatos que ganan más de $100.000 que buscan cargos con salarios de más de $100.000 www.theladders.com. El comercial comienza en medio de un juego de tenis. Pero pronto descubres que los dos jugadores en el campo no pueden devolverse la bola en el juego porque el público empieza a pasar corriendo por el campo y a obstruirles, personas inadecuadas, mal vestidas para el juego, con sobrepeso y fuera de forma, sin el equipo de tenis adecuado y descuidados con el juego que está en curso ante ellos. Por todas partes rebotan bolas de tenis. Cientos de supuestos jugadores se golpean unos a otros moviendo sus raquetas y portafolios en todas las direcciones, tratando de golpear bolas en todas las direcciones.

Los verdaderos jugadores se paran a un lado, frustrados con el caos del campo.

Durante los últimos 10 segundos del comercial, un locutor dice: "Si piensas al respecto, este es el problema con la mayoría de sitios de búsqueda de empleo: cuando dejas que todos jueguen, nadie gana". Luego aparece la dirección de la página de internet con el texto: "Todos los empleos con sueldos de más de $100.000". Y termina desvaneciéndose.

Un resumen claro y conciso respecto a un problema y su solución. Un comercial con clase que muestra que sus creadores entienden la gran importancia de ir al grano y dar el mensaje central.

Con tweets limitados a 140 caracteres y el público escribiendo sílabas y letras porque las palabras son muy largas (¿Estás bn?), la gente no es muy paciente con quienes no pueden "decirlo en una sola frase" y punto.

Con el crecimiento explosivo de Twitter, Facebook, YouTube y LinkedIn, la información sigue bombardeando al público. Tu imagen personal no se siente a menos que sepas decir o escribir tu mensaje de manera sucinta.

Para entender la importancia de la brevedad, considera los correos de voz. ¿Alguna vez te has sentido frustrado cuando tienes pocos minutos para escuchar tus mensajes de voz y encuentras muchos mensajes como este: "Hola, te habla B.J. Sólo quería saludarte para saber cómo va todo. Anoche llegué de Chicago. El clima estaba terrible y tuvimos que esperar en la pista de despegue durante más de una hora para despegar. En fin, ahora estoy en Los Ángeles y recogí a Tseuko en su hotel y vamos para la oficina del cliente. Hay dos cosas que pueden ser un problema allá y quiero hablar de eso antes que entremos a hacer la presentación. Una tiene que ver con la seguridad y la otra es sobre el precio. Vamos a parar a almorzar antes de la reunión pero es muy importante que hablemos porque..." biiip, la llamada se corta.

"Si Twitter no tiene otro beneficio más que ayudar a la gente a expresar su punto en 140 caracteres o menos, ese sería un ejercicio revolucionario en una competencia básica".

¿Qué tal los correos electrónicos? ¿Tienes que leerlos dos veces, clasificar y organizar los detalles para deducir el mensaje porque no hay un resumen claro que lo diga todo?

Si Twitter no tiene otro beneficio más que ayudar a la gente a expresar su punto en 140 caracteres o menos, ese sería un ejercicio revolucionario en una competencia básica. Pero observa cuán pocos saben hacerlo. Resume brevemente para ir al grano con el mensaje, el problema, la solución o el tema principal.

Sé breve para ser apreciado

En nuestra encuesta Booher, preguntamos a los participantes cuál es el reclamo más común que escuchan respecto a las exposiciones en sus organizaciones. "Son muy largas para la finalidad que tienen" fue la respuesta del 25% de los participantes encuestados. Otro 20% informó que ni el mensaje ni el propósito suelen ser claros.

Conclusión: aproximadamente la mitad de los encuestados confirmó que a la gente se le dificulta ir al grano. Las presentaciones extensas y desorganizadas dejan a los oyentes preguntándose:

1. "¿Cuál es el mensaje?".
2. "¿Qué quieres que haga con el mensaje?".
3. "¿Por qué gastaste tanto tiempo dándome ese mensaje?".

Aunque están muy conectados, la brevedad y el resumen no son sinónimos. Un resumen es una reexpresión de los puntos principales o las conclusiones, una versión corta de algo largo. Pero esa "versión corta" puede no ser breve. De hecho, algunos "resúmenes" de propuestas llenan un folder de tres anillos. Algunas personas que hacen presentaciones dan "resúmenes" de proyectos que duran una hora.

Aunque dar un resumen exhaustivo es de gran valor, un resumen no necesariamente es breve. Breve es mejor.

Los abogados entienden el valor de un buen resumen en la Corte. Aunque suelen ser locuaces al redactar una carta o un contrato, la mayoría de abogados practica los principios de la brevedad en situaciones persuasivas, como luchando por la vida de un cliente. Ellos se dirigen al jurado empezando con el mensaje principal incluso antes que el testigo pase al estrado: "Damas y caballeros del jurado, mi intención es demostrar que mi cliente, Darrin DoGood, es inocente por este crimen. No hay un motivo. No hay testigos. Y la noche en cuestión, mi cliente estuvo registrado en el Hotel Hilton en Houston".

Según Voltaire, "la mejor manera de ser aburrido es no dejar nada por fuera". La mejor manera de ser apreciado es dar tu opinión y luego callar.

Las personas con presencia piensan estratégicamente, entienden el vínculo importante entre enfoque y claridad, y aprecian el valor del tiempo. Expón tu caso y avanza.

13

Asume un punto de vista

"Cualquier tonto puede tener los hechos;
tener opiniones es un arte".
—Charles Mccabe

Después de haber sido contratada para ayudar a una compañía de inversiones a desarrollar y darle forma al mensaje que quería presentar ante clientes potenciales, escuché a cuatro vicepresidentes ejecutivos presentar sus versiones del resumen "oficial" de la compañía. El abogado principal expuso su visión general de las opciones de inversión en bienes raíces y las nuevas leyes de impuestos que aplicaban.

Al finalizar, le pregunté: "¿Entonces usted cree que los bienes raíces son una buena inversión para sus clientes con una elevada capacidad de inversión?".

"Definitivamente es lo mejor", dijo. "Por muchas razones". Y me las mencionó.

"¿Por qué no incluyó esas razones en su presentación? Le pregunté.

"Sí lo hice".

"Hmmm. Bueno, me las perdí".

"Probablemente no las presenté como razones. Pero ahí estaban los datos: las tasas de ocupación total en los edificios de apartamentos y propiedades comerciales, el bajo volumen de negocios. Todos los datos demuestran una gran utilidad en un periodo de 10 años. Cualquier inversionista habría llegado a esa conclusión".

"¿Pero por qué permitir que el oyente llegue a esa conclusión? ¿Por qué no decirle simplemente que el mercado inmobiliario es una buena inversión?".

"Bueno, soy un abogado. ¡No quería parecerme a un vendedor de autos usados!".

Durante la siguiente hora, discutimos la diferencia entre propaganda y persuasión.

Después de todo, su compañía gastaba millones de dólares al año trayendo a planificadores de inversión, asesores financieros, corredores de bolsa y clientes potenciales para persuadirlos de invertir en bienes raíces. ¿Por qué no querría él conducirlos a sacar una conclusión?

No me pudo dar una respuesta. Después, cuando le mencioné esa conversación al presidente de la firma, el director ejecutivo me dio una respuesta: "¡Definitivamente queremos que nuestros clientes inversionistas salgan de nuestra sala de juntas con esa conclusión!".

Por alguna razón, los especialistas, (contadores, analistas de sistemas, ingenieros o especialistas de recursos humanos, entre otros), se resisten a esa idea. No me preguntes por qué. Sencillamente lo hacen. Dave, un contador de una empresa grande, terminó un estudio de factibilidad y le expuso el informe al equipo ejecutivo. Fue un gran fracaso. Dave salió de la reunión sintiendo que al finalizar la semana recibiría una carta de despido. Y la peor parte era que ni siquiera entendía por qué. Pero cuando me relató la situación, se hizo evidente.

"Ten un objetivo claro. Si te piden que te limites a arrojar información, hazlo. Pero, con más frecuencia que lo que crees,

Ten un objetivo claro. Si te piden que te limites a arrojar información, hazlo. Pero, con más frecuencia de la que crees, los ejecutivos esperan, e incluso necesitan, que tú asumas un punto de vista con respecto a la información que les estás proveyendo.

los ejecutivos esperan, e incluso necesitan, que tú asumas un punto de vista con respecto a la información que les estás proveyendo".

La solicitud inicial del equipo ejecutivo había sido esta: ¿Cuál es la mejor manera de adquirir un terreno para nuestra planta de producción? ¿Una compra directa? ¿Un arrendamiento financiero? ¿Un arrendamiento operativo? ¿Una compra de instalaciones? ¿Alguna otra opción? Dave había respondido a la pregunta como un escolar, había explicado todas las opciones junto con las ventajas y desventajas correspondientes.

"¿Entonces, qué les sugeriste hacer?". Le pregunté mientras él jugaba a la víctima después de la confrontación de los ejecutivos.

"Bueno, no hice ninguna recomendación. No creí que eso me correspondiera". "¿Por qué no?".

"Bueno, yo... nosotros... mi equipo sólo hizo el estudio. Eso es todo lo que me pidieron que hiciera, que estudiara las posibilidades".

"Pero tienes una opinión ¿verdad?".

"Claro que sí. Dado que en algún momento ellos quieren tener propiedad sobre el terreno, y dadas las nuevas leyes de impuestos, saldremos ganando con una compra directa".

"Entonces, ¿por qué no recomendaste eso de antemano?".

"No sabía que eso me correspondiera".

Sí le correspondía.

¿Todavía no estás convencido?

Digamos que vas a la oficina de tu abogado con una pregunta legal: "Tengo una propiedad en el condado de Podunk y allá la ciudad está tratando de obligarme a vender parte de mi terreno para un parque o un museo estatal. Aquí está la carta y la explicación que me enviaron. ¿Pueden ellos forzarme a venderles el terreno si no quiero hacerlo y más por ese precio tan irrisorio?".

Ahora, ¿lo que deseas es que tu abogado te de su opinión respecto a qué posición tomar en el asunto? ¿O quieres que él te cite varios casos judiciales y normas del pasado para que tú saques tus propias conclusiones respecto a qué tan parecido puede ser tu caso en comparación con esas situaciones pasadas?

Sí prefieres su opinión como abogado, estoy contigo.

O miremos esta situación: digamos que visitas a tu médico porque tienes una dolencia. Le describes todos los síntomas. Te hacen unas pruebas, toman radiografías y un completo examen de sangre. Al final, el médico te llama para que vayas a su consultorio para hablar de los hallazgos. ¿Preferirías que el médico te expusiera todos los exámenes y los resultados de laboratorio, te diera un diagnóstico y te mostrara los posibles tratamientos con sus ventajas y desventajas? ¿O quisieras saber el punto de vista del médico respecto a qué tratamiento te recomendaría para esa situación? Aunque tienes la libertad de decidir el considerar tus opciones por unos días antes de tomar una decisión final, supongo que tú deseas una opinión y no sólo información.

Y, honestamente, conozco pocos médicos que saldrían del consultorio dejándote solamente la información sin procesar. Es para eso que a ellos les pagan, para que den sus opiniones de expertos.

Las personas con imagen tienen confianza en sus recomendaciones y opiniones. Los altos mandos suelen interrumpir a quienes vacilan en sus resúmenes con esta pregunta: "Entonces, ¿cuál es tu opinión al respecto?". Si tú eres el experto, exprésala. No fuerces a los demás a pedir tu opinión o tu conclusión.

Los editores de revistas están de acuerdo con que su sección más leída es, por lo general, la de cartas del editor. Opiniones. Pregúntales a los editores de periódicos sobre su página más leída. De nuevo te dirán que es el editorial: la parte de opinión. ¿Por qué son tan populares los programas de entrevistas? Porque los invitados expresan opiniones fuertes. De acuerdo o en desacuerdo, no importa. De hecho, entre más controversial, mejor. Las opiniones generan acción y reacción.

Adopta una postura. Recomienda. Sienta un precedente.

14

Piensa como Hollywood

"Narrar historias es la manera más poderosa de introducir ideas al mundo de hoy... Las historias son la conversión creativa de la misma vida a una experiencia más poderosa, más clara y significativa. Son la divisa del contacto humano".

—Robert Mckee

Cuando mi agente logró que CBS se interesara en convertir mi primera novela en una película, de inmediato comencé a investigar sobre consejos para escribir guiones de películas. Para mi sorpresa, descubrí que la típica película de dos horas es capturada en un guión con un promedio de 100 a 110 páginas. ¿Cómo puede ser así? ¡Ahí estaba yo esclavizándome con libros de negocios que requerían manuscritos de 250 a 300 páginas cuando una película de dos horas requería sólo 110! Llamé a Mitch, mi agente literario de ese tiempo, para confirmar cuál era la extensión adecuada para el guión.

"¿Sólo 110 páginas para una película de dos horas? ¿Cómo puede ser eso posible? ¿Esa es la Regla de Oro?".

"Así es", dijo. "Y a veces aún más corto. Depende del género. Las películas de comedia o aventura tienen de 85 a 100 páginas porque hay menos diálogo".

"Pero aun así no me parece posible", insistí. "La mayoría de dramas están basados en largas novelas, algunas muy largas".

"Sí. Pero lo que un novelista puede decir en páginas y páginas, una película lo puede mostrar en un segundo, con sólo un escenario de fondo o con que alguien se encoja de hombros o mueva los ojos".

Él logró hacerme entender: lo visual remplaza a miles de palabras. Recuerda eso cuando se trate de darte a entender ante un público de una o de mil personas. Piensa visualmente.

Cuenta una buena historia

Uno de los más famosos discursos de Steve Jobs, usualmente recordado como el discurso "Sigue con hambre, sigue siendo tonto", lo organizó en torno a 3 breves historias:[22]

> "Gracias. Me siento honrado de estar con ustedes hoy para dar el discurso de graduación en una de las universidades más prestigiosas del mundo. A decir verdad, nunca me gradué de la universidad y esto es lo más cerca que he estado de lograr un título universitario. Hoy quiero contarles 3 historias de mi vida. Eso es todo. No es gran cosa. Sólo 3 historias.
>
> La primera se trata de conectar los puntos...".
>
> *(Contó una segunda historia, luego la tercera y terminó con esto):*
>
> "Cuando era joven, existía una maravillosa publicación titulada *The Whole Earth Catalogue*, la cual fue una de las biblias de mi generación. Fue creada por un amigo llamado Stuart Brand, no muy lejos de acá, en Menlo Park, y le dio vida con su toque poético. Eso fue hacia el final de los años 60, antes que existieran los computadores personales y el diseño por computador, así que todo se hacía con máquinas de escribir, tijeras y cámaras Polaroid. Era algo así como Google en papel, 35 años antes que Google apareciera. Era idealista, rebosante de atractivas herramientas y excelentes nociones... En la cubierta de atrás de su última edición apareció la foto de una carretera en un amanecer, la clase de vía en la que te puedes encontrar si eres tan aventurero como para hacer autoestop. Abajo estaban las palabras: "Si-

gue con hambre, sigue siendo tonto". Ese fue su mensaje de despedida al terminar. "Sigue con hambre, sigue siendo tonto". Y siempre he deseado eso para mí mismo, y ahora, en su graduación cuando van a comenzar de nuevo, eso es lo que deseo para ustedes: "Sigan con hambre, sigan siendo tontos". Muchas gracias a todos".

¿Por qué concluir tu punto con una buena historia? La gente puede discutir con los datos todo el día. Pero no es posible discutir con tu experiencia o con tu historia. Cuando expones tu punto como información, estadísticas, datos por digerir, la gente pasa al plano analítico. Se encienden las luces y las llantas rechinan en un intento por "pasar a otro carril y demostrar que estás equivocado". Pero cuando ofreces una ilustración o una experiencia personal, los demás se relajan y escuchan la idea.

Como un escritor de guiones, piensa en temas, escenas y argumentos. En lugar de presentar cosas comunes, o sermonear respecto a esto o aquello, crea una historia atrayente para lograr comunicar tu punto. Las historias incluyen anécdotas, escenas de la vida diaria, historias de éxito o de fracaso, (úsalas para generar confianza y equilibrio en la imagen respecto a lo que tú y tu organización pueden o no pueden hacer).

Algo para tener presente en esas historias: tú no siempre debes ser el héroe en tus propias historias. Permite que alguien más "salve el día" y brille con la acción heroica que soluciona el problema de un cliente o que da el consejo sabio que saca al gerente equivocado del borde del desastre.

> "¿Por qué concluir tu punto con una buena historia? La gente puede discutir con los datos todo el día. Pero no es posible discutir con tu experiencia o con tu historia".

Recorre tu base de datos mental y mantén un registro de tus mejores historias y situaciones para que puedas recordarlas en cualquier momento para ilustrar puntos en tu área de experiencia. Te asombrará la frecuencia con la que encontrarás oportunidades para contarlas al hablar con tus compañeros de trabajo en la reunión mensual de cumpleaños, al saludar a clientes en una exhibición comercial o durante una reunión de creación de contactos con personas muy importantes.

Piensa en un tema. Shakespeare tenía sus 26 renglones de trama. Los relatores de historias de negocios tienen temas cruciales favoritos e iniciativas que cambian año tras año y década tras década: "El cliente siempre tiene la razón". "El contenido es el rey". "La calidad es nuestra meta número uno". "¡No pasa nada hasta que alguien venda algo!". "David contra Goliat". "La gente es nuestro activo más valioso". "Cuida a tu gente y tu gente cuidará de tu cliente". "¡Innova!". "Imagina el futuro". "Desarrolla hoy los líderes del mañana". "Nunca te des por vencido". "El cambio nunca termina".

Con el tema en mente, identifica una historia adecuada para ilustrar ese punto. ¿Qué incidente con un cliente puedes contarle a tu equipo de ejecutivos para persuadirlos de proceder con tus recomendaciones? ¿Qué sucedió en el Congreso de la Industria que les enfatiza a tus colegas la necesidad de compartir inteligencia competitiva entre sí? ¿Qué experiencia personal puedes relatar que ayude a tu equipo a saber qué es lo que valoras más de su desempeño? ¿Qué parte de una conversación escuchaste por casualidad la semana pasada en la cafetería la cual ilustra el espíritu de equipo en tu departamento?

Cuando ya tengas la historia o el incidente en mente, practica relatarlo de una manera atractiva:

— Identifica la frase clave. Es ahí donde terminas las historias. Todo lo debes construir para llegar a ese punto. Deja la palabra principal al final de la frase clave.

— Organiza el relato de una manera intrigante. No ondees una bandera diciendo, "Déjenme contar una historia que relata por qué creo que bla, bla, bla". En lugar de eso intenta algo como: "La honestidad puede acabar con tu empresa. La semana pasada cometí el error de ser honesto con uno de nuestros proveedores respecto a tal cosa. Luego, el pasado martes, recibí una llamada de J.T. Wilbot, diciéndome que..."Y ya estás metido en la historia. Cualquiera sea el escenario, debes hacer que la gente diga: "Cuéntame más".

— Mantén los detalles relevantes. Así como el guionista de películas, usa suficientes detalles para que tu oyente pueda imaginar lo que está sucediendo. Pero omite detalles que no aporten nada al escenario, al ánimo, o al punto.

— Déjanos ver la acción. Para lograr el mayor impacto, dales movimiento a tus personajes. Permítenos escucharlos hablar y verlos actuar. Como narrador, no te interpongas entre la audiencia y la acción, con sólo decirnos lo que tú escuchaste y viste. Permite que los demás lo vean, así como lo hacen cuando están en el teatro. Al contar la historia, recrea la escena y el diálogo para ellos.

— Haz una transición a tu punto. ¿Entonces, cuál es tu punto? Nunca des el significado de la historia. Interpretar la frase de cierre mata un buen chiste y también arruina una gran historia. Cuenta la historia y termina. Guarda silencio. Permite que el público absorba el significado. Después, y sólo después, conecta tu punto con la exposición, la conversación o la reunión.

¿Qué aporte hace el narrar historias a tu imagen personal? Los narradores de historias mantienen el escenario y la recordación por más tiempo que la mayoría de la gente. Sus historias por lo general presentan un impacto emocional que hace que su argumento sea memorable y persuasivo.

> "Los narradores de historias mantienen el escenario y la recordación por más tiempo que la mayoría de la gente. Sus historias por lo general presentan un impacto emocional que hace que su argumento sea memorable y persuasivo".

Crea los avances de la película con una buena porción de sonido

Los avances de películas sirven para 3 fines: tientan al público a ver la película, captan la esencia y el espíritu de la película. Finalmente, les recuerdan a los aficionados al cine lo que han visto y sentido mucho después de haber salido del teatro. Cada vez que la gente ve la película anunciada, escucha el próximo lanzamiento en DVD, se entera de la novela sobre la cual está basada la película o escucha a un amigo decir en qué difiere la película de la novela. El avance les vuelve a recordar lo que vieron en la pantalla. En una frase o en una oración, el avance captura el significado de la película.

Los eslogan sirven para un fin similar. Los más famosos han perdurado con los años, llevando consigo el mensaje y el contexto del sueño y la época.

> **Abraham Lincoln, en el servicio de conmemoración a quienes habían muerto en batalla en Gettysburg, Pennsylvania, durante la Guerra Civil, en Noviembre 19, 1863, dijo:** "Aquí, solemnemente decidimos que estas personas muertas no han muerto en vano, que esta nación, bajo Dios, tendrá un nuevo nacimiento de libertad, y que el gobierno del pueblo, por el pueblo, y para el pueblo, no desaparecerá de la Tierra".
>
> **Patrick Henry ante los delegados de Virginia en 1775 dijo:** "Denme la libertad, o denme la muerte".
>
> **Ronald Reagan ante el pueblo de Berlín Occidental en la Puerta de Brandenburg (muchos consideraron éste como el comienzo del final de la guerra fría)** dijo: "Señor Gorbachev, derribe este muro".
>
> **Martin Luther King Jr. hablando en Washington D.C. el 28 de agosto de 1963, dijo:** "Sueño con que esta nación algún día se levante y viva el verdadero significado de su credo...".

Steve Jobs dirigiéndose al ejecutivo de Pepsi, John Sculley en su persuasiva solicitud que se uniera a Apple en 1983 como Director Ejecutivo, dijo: "¿Quieres pasar el resto de tu vida vendiendo agua azucarada o quieres una oportunidad para cambiar al mundo?".

Campaña publicitaria clásica de Avi: "Somos el número 2. Nos estamos esforzando".

Frase clásica de Donald Trump en su larga serie de televisión *El Aprendiz*: "Estás despedido".

Hillary Clinton en su campaña por la Casa Blanca: "No pretendo jugar la carta de género, pretendo jugar la carta ganadora".

Bill O'Reilly en su programa de noticas por cable que se emitía todas las noches: "Aquí termina el giro. Te estamos buscando a ti".

Entonces ¿cómo puedes crear un eslogan sólido que todos los demás recuerden al otro día?

Hazlo personal. Dale forma a tu mensaje para que se ajuste a tu audiencia. ¿Cuál es la perspectiva del público sobre lo que tienes que decir? ¿Qué quieren saber? ¿Cuál es su interés en el tema? ¿Qué preguntas quieren que les respondas? ¿Qué solución quieren que les presentes? ¿Qué promesa quieren escuchar? Si está en sus mentes, es necesario que salga de tu boca: responde la pregunta. Soluciona el problema. Da la razón. Ofrece la explicación. Provee la historia de fondo. Enséñales algo. Sólo haz que se trate de ellos.

Elimina lo que no es esencial. Alguien en una ocasión le preguntó a Ernest Hemingway: "¿Cómo se escribe la Gran Novela Americana?". Él respondió: "Fácil. Simplemente siéntese y escriba su historia. Cuando haya terminado, vuelva y elimine todos los adjetivos y adverbios". Definitivamente una gran simplificación, pero un gran principio de edición para un eslogan. Quita los artículos (un, uno, el, eso) y el lenguaje flácido. Remplaza un verbo débil que se apoya en un adverbio o un adjetivo con un verbo más fuerte. Por ejemplo: "Esta será una nueva idea emocionante para tu equipo" queda como "esta nueva idea emocionará a tu equipo".

Dale forma a lo que queda. Usa contrastes, triadas, rimas, aliteración o juegos de palabras, para hacer que tu eslogan sea memorable. Salte de esquemas ya establecidos con chistes, anuncios o comerciales. Por ejemplo, la frase de Apple: "Hay una aplicación para eso", o la de Coca Cola: "Es lo real", o Wendy's: "¿Dónde está la carne?" o la de *Jerry Maguire:* "¡Muéstrame el dinero!". Muchos han tomado prestados esos marcos para anclar sus mensajes.

Digamos que estás tratando de motivar a tu equipo de ventas para tener mejores esfuerzos en el desarrollo de relaciones claves que quieres convertir en sociedades estratégicas. Trata de jugar con este marco: "Les estamos pagando este viaje a este evento global, pero a cambio espero que ustedes me '¡muestren el dinero!' Así es como...".

Otro ejemplo usando el marco de Coca Cola: al presentar a alguien ante un público, deseas impresionarlos con su genuinidad. Así que intenta decir: "Con Steve, no hay segundas intensiones. Él es genuino".

Usando el marco de Apple y hablando respecto al desorden en tu garaje, puedes decir: "Estoy planeando hacer una alianza estratégica con mi hijo adolescente para ordenar el garaje este fin de semana. Pero seguramente me va a decir: papá 'para eso hay una aplicación'". ¿Captas la idea? Tales marcos hacen que las anécdotas y comentarios diarios sean atractivos.

Haz que las metáforas y las analogías sean memorables

A los críticos de cine les gusta encontrar significados ocultos en las películas que evalúan.

Cuando una película se estrena, los críticos tratan de decirnos qué vamos a ver y escuchar, haciendo comparaciones con lo que los aficionados al cine conocen del pasado. Por ejemplo: "Es como *La tormenta perfecta* en el contexto del matrimonio. Todas las posibles amenazas que llega a tener una relación chocan al mismo tiempo contra una pareja que antes había sido feliz, convirtiendo su vida en una amarga lucha por sobrevivir".

Haciendo uso de metáforas y analogías, los críticos disfrutan diciéndonos qué esperar en la pantalla. El público, dependiendo de qué tan tentadores sean sus comentarios, va masivamente a ver la película o la ignora. (Obviamente, algunos de los críticos que tienen el hábito de profundizar en el significado escondido que el escritor imprimió en la película no han escuchado la filosofía del productor de cine Sam Goldwyin: "Si quieres enviar un mensaje, usa Western Union". El comentario, desde luego, era para animar a los escritores a crear grandes historias y hacer a un lado las moralejas en sus películas).

Pero eso es ficción y producción de cine. Tú estás comunicando mensajes de negocios. Todavía así, las analogías y las metáforas te serán muy útiles. Capturan un concepto en pocas palabras y ayudan a la gente a comprender una idea compleja al relacionarla con algo que ya entiende.

"El manual de ese proyecto era tan detallado que era como un cuaderno de dibujo para unir los puntos".

"Tener una cuenta corporativa en Facebook se siente como estar en la fila de entrada a una fiesta de Ma Bell".

Los gurús de finanzas, Karen Berman y Joe Knight, en su gran libro *Financial Intelligence for Entrepreneurs*, usan esta analogía para explicar los gastos operacionales: "Los gastos operacionales en una empresa son como el colesterol. El buen colesterol es saludable para ti, mientras que el malo tapona tus arterias. Los buenos gastos operacionales fortalecen tu negocio, mientras que los malos gastos operacionales halan hacia abajo tu balance final y te impiden aprovechar las oportunidades de negocios".[23]

Una clienta mía, una jefa de operaciones de una empresa manufacturera canadiense, desarrolló todo un discurso en torno a una extensa analogía para volver a introducir a su compañía dentro de la industria; para lograrlo se ayudó con una serie de conferencias que planeaba a fin de lograr notoriedad. Como tenía experiencia en teatro, la cual obtuvo a su paso por la universidad, y parte de su tiempo libre lo dedicaba a ser parte de la junta directiva de un teatro comunitario local, ella trazó paralelos entre la actuación y la preparación de una compañía para realizar una auditoría: evaluar personajes que vayan con los papeles y actores que han de interactuar con los auditores; preparar el guión de acuerdo con los manuales de políticas actualizados; y así sucesivamente. Ella hizo un paralelo de 9 puntos esenciales entre el teatro y la auditoría para lograr una intervención memorable.

Las metáforas y las analogías nunca *demuestran* nada. Pero hacen que tu mensaje sea memorable, persuasivo y único.

Sé tú la persona que propone el eslogan, crea la metáfora o establece la analogía que posiciona al mensaje de tu organización para los años o décadas por venir. ¡Eso es imagen y poder de permanencia!

15

Aprende a pensar rápido bajo situaciones de presión

"He observado dos cosas respecto a los hombres con grandes salarios. Casi sin falta son hombres que, al conversar o al dar un discurso, son adaptables. Rápidamente captan la perspectiva de otras personas. Están más deseosos de expresar lo que otros sienten que de expresar sus propias ideas. También expresan sus propios puntos de vista de manera convincente".

—John Hallock

Primero, escúchate hablar. Luego, de repente, imagínate una experiencia fuera del cuerpo en la cual flotas por encima de ti y te escuchas parlotear pero no puedes ayudarte a ti mismo. Luego aparece una tercera voz en alguna parte de tu cabeza, escuchando cómo parlotea el primer tú y cómo analiza el segundo tú. La tercera voz dice: "Pónganse de acuerdo ustedes dos. Van a perder el ritmo. No pueden seguir por dos caminos por mucho tiempo".

Este diálogo en tu cabeza representa la verdadera presión. Si puedes mantener el equilibrio y evitar revelar la doble personalidad delante de cualquier persona durante un episodio como ese, estás listo para enfrentar con confianza la mayoría de situaciones. Pero sin importar cuán preparado estés, si el diálogo sigue por más tiempo y la presión aumenta, tu cerebro se puede congelar. Es en esos momentos en los que necesitas técnicas para pensar con claridad bajo presión.

La mayor presión por lo general viene cuando se te hace una pregunta. Nada infunde más temor en el corazón de quienes no están bien preparados que escuchar: "Si no te molesta, nos gustaría hacerte un par de preguntas". Po eso es acertado que te prepares para esa presión porque estás haciendo una exposición formal y te han solicitado que al final concedas tiempo para preguntas y respuestas.

En otras ocasiones, la presión viene en momentos de crisis, una tragedia personal que abruma tus circuitos emocionales o una crisis en la organización cuando los medios te rodean con cantidades de micrófonos y cámaras. Tus palabras grabadas o impresas trazaran el curso de acción para muchos a largo plazo. Y tendrás poco tiempo de preparación.

Quienes han respondido a nuestra encuesta Booher, consideran que la habilidad para pensar rápido es justamente la que necesitan mejorar más para tener mejor credibilidad. Este es el mejor consejo que les doy para que enfrenten ese reto.

No rebotes mientras decides

La entrenadora Wimbish nos hacía tener el balón rebotando y dibujando la forma del 8 hasta que estuviéramos listas para caernos, para que domináramos el control del balón cuando atacábamos hacia el aro de baloncesto para hacer lanzamientos de bandeja. Pero en el juego, ese entrenamiento solía meternos en problemas. Como éramos buenas, rebotábamos mucho y perdíamos oportunidades de pasarle el balón a una compañera de equipo que estaba en buena posición para lanzar. Todavía puedo ver y escuchar a la entrenadora Wimbish gritando desde los lados: "Levanta la cabeza. Mira alrededor tuyo. ¡*Pasa* el balón!"

"Pero nadie estaba abierto", alguien protestaba cuando nos acurrucábamos a los lados. "Bueno, entonces mantén el balón hasta que alguien esté libre", decía. "Rebotar es un último recurso. ¡Libérate o pasa el balón!".

Así que volvíamos al juego, con la certeza de que alguien iba a olvidar la advertencia, comenzaría a rebotar el balón y el oponente nos lo quitaría. De nuevo, la entrenadora Wimbish se paraba de la banca y gritaba: "Levanta la cabeza. Mira alrededor tuyo. ¡*Pasa* el balón!". Desde luego, no puedes jugar baloncesto sin rebotar el balón. Pero nosotros entendíamos su punto: con mucha frecuencia el rebotar se hizo un hábito y fallábamos en aprovechar las oportunidades de ataques rápidos.

Lo mismo pasa en entornos de negocios. Nos piden una actualización sobre un proyecto o nuestra opinión y nos quedamos rebotando el balón en lugar de pensar cómo podemos aprovechar la oportunidad para hacer una observación. Por costumbre, abrimos la boca y decimos tonterías mientras decidimos qué es lo que realmente queremos decir.

"Los ladrones atacan a quienes deambulan sin rumbo, aparentemente inconscientes de lo que los rodea. Es la misma razón por la cual los que hablan deambulando sin rumbo, atraen a los atacantes: son blanco fácil para interrupciones, discrepancias y distracciones que los desvían. La pausa es poderosa. Úsala para aumentar la atención y la credibilidad de tus comentarios "intencionales".

En lugar de eso, como la entrenadora Wimbish aconsejaba, practica la pausa. Permanece en silencio mientras organizas tus pensamientos. Abstente de las palabras de relleno (*eehh, mmm, bueno, tú sabes, ah*). Sólo haz una pausa. Muéstrate pensativo. Repite la esencia de la pregunta o comienza con una verdad en común. Luego, después que decidas lo que quieres decir, expresa tu opinión o da el informe.

El peligro de no pensar antes de hablar llega a ser mucho más serio en entornos de trabajo que en el baloncesto.

Los policías nos dicen que los criminales buscan objetivos fáciles. Para evitar ser la víctima, los policías aconsejan caminar con propósito. Antes de salir de un edificio en la noche, recuerda dónde parqueaste, ten las llaves en la mano y camina rápidamente hacia el auto. Los ladrones atacan a quienes deambulan sin rumbo, aparentemente inconscientes de lo que los rodea. Es la misma razón por la cual los que hablan deambulando sin rumbo, atraen a los atacantes: son blanco fácil para interrupciones, discrepancias y distracciones que los desvían.

La pausa es poderosa. Úsala para aumentar la atención y la credibilidad de tus comentarios "intencionales".

Responde en lugar de reaccionar ante las preguntas

En la campaña presidencial del año 2.008, Sarah Palin recibió unas de las peores críticas por la entrevista con Katie Couric. Un hábito particular de Palin sobresalió con más frecuencia en esa entrevista: ella reaccionó al tono y respondió muy rápido. Por ejemplo:

Couric: Cuando se trata de establecer su cosmovisión, tengo curiosidad de saber. ¿Qué periódicos y revistas leía antes de ser elegida para esto, con el fin de permanecer informada y entender el mundo?

Palin: He leído la mayoría, siempre con un gran aprecio por la prensa y los medios.

Couric: ¿Cuáles específicamente?

Palin: Ahh, todos, cualquiera que haya estado frente a mí todos estos años.

Couric: ¿Puede nombrar algunos?

Palin: También tengo una amplia variedad de fuentes de donde obtenemos nuestras noticias. Alaska no es un país extranjero, lo cual suele pensarse. ¡Vaya! ¿Cómo podrías seguir en contacto con lo que el resto de Washington D.C. puede estar pensando cuando vives allá en Alaska? Créame, Alaska es como un microcosmos de Estados Unidos.

En entrevistas posteriores, cuando le pidieron a Palin que evaluara su comportamiento, ella dijo: "Me sentí insultada con la pregunta. Entendí la pregunta como si me estuviera diciendo *¿Usted lee?*".

Si Palin se hubiera tomado el tiempo para organizar sus pensamientos antes de responder, lo habría hecho con más facilidad durante esa entrevista con Couric. Si su intención era dar una respuesta vaga, podría haber respondido: "Leo publicaciones que me dan un amplio panorama del mundo, algunas son conservadoras en sus perspectivas y otras son más liberales". Esa amplia afirmación le habría dado más tiempo para pensar si Couric hubiera insistido con otra pregunta para tener una respuesta más específica. O si hubiera podido hacer una conexión para dar una perspectiva diferente: "Leo publicaciones que me dan un amplio panorama del mundo, algunas son conservadoras en sus perspectivas y otras son más liberales. Pero en realidad me agrada interactuar personalmente y por internet con la gente que me da una perspectiva mucho más informada de lo que la persona promedio piensa y siente".

Si su intención hubiera sido ser específica y amable (que es lo que yo recomiendo) en medio de una entrevista hostil, ella podría haber respondido: "Leo mucho para estar al día. Lo que me parece especialmente útil es...".

Nunca reacciones ante el tono de las preguntas, así sean preguntas acusatorias, hostiles o sarcásticas de parte de un jefe, un cliente, un compañero de trabajo o de los medios. Ignora las "palabras calientes" y trátalas como preguntas objetivas. Las emociones fuertes y la presión a responder rápidamente tienden a congelarte el cerebro. Haz una pausa, muéstrate pensativo mientras ordenas tus pensamientos y luego responde a la pregunta o conéctala con el punto de vista que quieres presentar.

Descarga las preguntas cargadas

Los cirujanos de un gran hospital de investigaciones al cual suelo prestarle servicios de consultoría reciben preguntas cargadas de parte de reporteros quienes por lo general tienen segundas intenciones. La intención del periodista puede ser la de argumentar que el hospital debería estar haciendo más trasplantes de órganos ya que los hay disponibles en países como China, en los que los ciudadanos venden sus órganos a cambio de dinero en efectivo. Un periodista le hizo esta pregunta cargada a un médico: "¿Su colega no condenó a muerte al bebé X por no aceptar el órgano ofrecido que estaba disponible en China, así fuera al precio que sus padres estaban disponibles de pagar?".

Observa que la premisa de la pregunta es que la elección respecto a la moralidad de comprar y vender órganos le correspondía al médico. Responder una pregunta tan cargada te pone en una situación de desventaja. Para responder, simplemente presenta tu posición respecto al tema sin referirte directamente a la manera como la pregunta fue planteada: "Creemos que la donación de órganos debería ser una práctica voluntaria por muchas razones. (Nómbralas)".

O, más intencionadamente, puedes decir: "No estoy de acuerdo con su premisa. Mi posición con respecto a ese tema es X". Nunca cometas el error de repetir una premisa defectuosa.

Anticipa y prepárate para las preguntas

Cuando asesoro a un grupo de ventas respecto a cómo responder preguntas durante una llamada de ventas, casi sin excepción dan una lista rápida de las preguntas típicas que los compradores hacen respecto a su producto o servicio. Después de enumerar entre diez y quince preguntas, le planteo esta pregunta al equipo: ¿Alguien puede decirme cuál es su respuesta típica para la pregunta A? Por unos segundos suena un murmullo por todo el salón. Finalmente alguien dice: "Bueno, no sé si tenemos una sola respuesta. Supongo que varía de vez en cuando".

"Muy bien, tratemos de responder la segunda pregunta que mencionaron. Si todas las veces sus clientes la hacen, ¿qué respuesta dan? De nuevo un murmullo y alguien hace un intento. Luego un colega lo "corrige". Después alguien más "añade" a la respuesta. Luego otra persona habla para corregir lo que sus compañeros han opinado, diciendo: "No, nunca digan eso porque algunos clientes se ofenderían con... bla, bla, bla. Hemos visto que tenemos una mejor respuesta para los clientes cuando la explicamos de esta manera...".

Así que un equipo de ventas ha pasado cientos de horas aprendiendo a posicionar su producto frente a la competencia, pero obviamente no ha dedicado tiempo a anticipar y perfeccionar respuestas a preguntas de rutina que surgen cada vez que habla con los clientes.

Esta situación podría ser catalogada como una mala práctica en ventas: divagar sin la esencia de la pregunta. Si trabajas en ese campo, ponte en escenarios en los que tus compañeros de trabajo te hagan preguntas acerca del producto hasta que logres pensar con suficiente rapidez como para responderlas con contenido.

Mantente preparado para ser claro, breve y consistente.

Usa el Formato SEER® como guía

Para casi todas las situaciones de improvisación que exigen una opinión o una respuesta, recomiendo el Formato SEER® para pensar rápidamente, en especial lo recomiendo a equipos de liderazgo ejecutivo o para un cliente:

S: Síntesis. Sintetiza en una frase tu respuesta, opinión o actualización.

E: Elaboración. Elabórala con las razones, los datos, los criterios, explicaciones o lo que sea que vaya a respaldar tu síntesis.

E: Ejemplo. Da una ilustración o una anécdota para crear conexión emocional y hacer que tu respuesta sea memorable. Entre más concreta y específica, mejor.

R: Reafirmación. Reafirma tu respuesta en una sola frase.

A continuación hay un ejemplo para ilustrar la estructura:

Pregunta: "Si te contratáramos para este cargo, ¿cuál crees que sería tu mayor aporte?

Síntesis: según lo que me han dicho, creo que mi mayor aporte aquí sería la gestión de proyectos.

Elaboración: aunque muchas experiencias en cargos previos se ajustan con lo que ustedes me han descrito, su mayores dificultades ahora parecen ser los sobrecostos de presupuesto, los retrasos con los proveedores, las entregas tardes a sus clientes y las disputas entre el equipo de trabajo. Eso es a lo que he dedicado mi tiempo durante los últimos 7 años, supervisando a un grupo de 12 analistas de sistemas en Prescott en proyectos que duraban entre 6 y 12 meses, dirigiendo un sistema de almacén interno en Cincinnati que distribuía a todo el país (incluyendo el inventario y las órdenes), y encargándome de la administración de proyectos de consultoría con Brasco, con utilidades entre 5 y 10 millones de dólares.

Ejemplo: por ejemplo, en Brasco, recuerdo un proyecto que adelantamos para un cliente que se mudó de New York a Plano, Texas. Eran 7.800 personas y nosotros conseguimos las instalaciones de oficinas, organizamos el mobiliario con 4 fabricantes diferentes, y nos hicimos cargo de la misma mudanza. Todo estuvo listo dos días antes y con $18.000 dólares por debajo del presupuesto. De hecho, desde entonces ese cliente nos ha contratado dos veces más para la reubicación de otras oficinas.

Reafirmación: así que definitivamente, mis habilidades de gestión para adelantar proyectos a tiempo y dentro del presupuesto serán algo en lo que creo que ustedes verán valor de inmediato.

La estructura desarrolla tu credibilidad porque estos 4 segmentos concuerdan con los 3 criterios de persuasión de Aristóteles: logos (lógica), ethos (confiabilidad), y pathos (empatía). Esta estructura satisface la necesidad de lógica que tiene tu interlocutor al escucharte hablar. El ejemplo proporciona conexión emocional con tus oyentes. Y la síntesis directa en una sola frase, así como la reafirmación, resaltan tu integridad o confiabilidad al transmitir tu intensión de ser claro.

Considera este formato para una respuesta de 15 segundos durante una sesión de preguntas y respuestas o un reporte de avance de 15 minutos cuando tu jefe te llame inesperadamente a una reunión para que informes sobre el estado de un proyecto. Entre más practiques este formato, menos presión sentirás cuando estés pensando rápido y hablando en situaciones improvisadas.

Entiende el poder de las preguntas bien planteadas

Quienes tienen menos sentido propio siempre piensan que deben estar en control. Por tal motivo, con frecuencia los escucharás a manera de sermón con frases como: "Permíteme ser claro", "La realidad del asunto es...", "Puedes estar seguro de...", "Esto es lo que quiero que hagas". Estas frases logran hacerte ver intimidante en un papel de jefe.

> "Hacer preguntas incluyentes, moderar tu tono y usar frases uniformes, te ponen en una posición de entrenador y pensador crítico en lugar de juez y jurado. Los jueces y jurados generan temor, mientras que los entrenadores ganan admiración y respeto".

Por otro lado, las preguntas invitan a los demás a la conversación mientras que proporcionas entrenamiento y dirección en lugar de críticas. Ejemplos: "¿Cómo te pareció que salió el proyecto?". "¿Qué te gustaría hacer de otra forma la próxima vez?". "¿Tienes ideas acerca de cómo reducir gastos en viajes futuros?". "¿Cuáles son tus planes para alcanzar esa meta?". "Según estos números y la proyección de la empresa para el próximo trimestre, ¿cuál crees que debería ser la mayor prioridad para este mes?".

Hacer preguntas incluyentes, moderar tu tono y usar frases uniformes, te ponen en una posición de entrenador y pensador crítico en lugar de juez y jurado. Los jueces y jurados generan temor, mientras que los entrenadores ganan admiración y respeto.

Elevada visibilidad. Baja tolerancia por los errores. La posibilidad de que tus palabras tengan una vida útil larga. La próxima vez que ese sea el caso y tengas una experiencia por fuera del cuerpo, espera a que la voz por encima de tu cabeza te diga "buen trabajo".

Hacer preguntas incluyentes, moderar tu tono y usar frases uniformes, te ponen en una posición de entrenador y pensador crítico en lugar de juez y jurado. Los jueces y jurados generan temor, mientras que los entrenadores ganan admiración y respeto. De nuevo, la imagen está en cómo los demás perciben tu liderazgo.

CUARTA PARTE:
CÓMO ACTÚAS

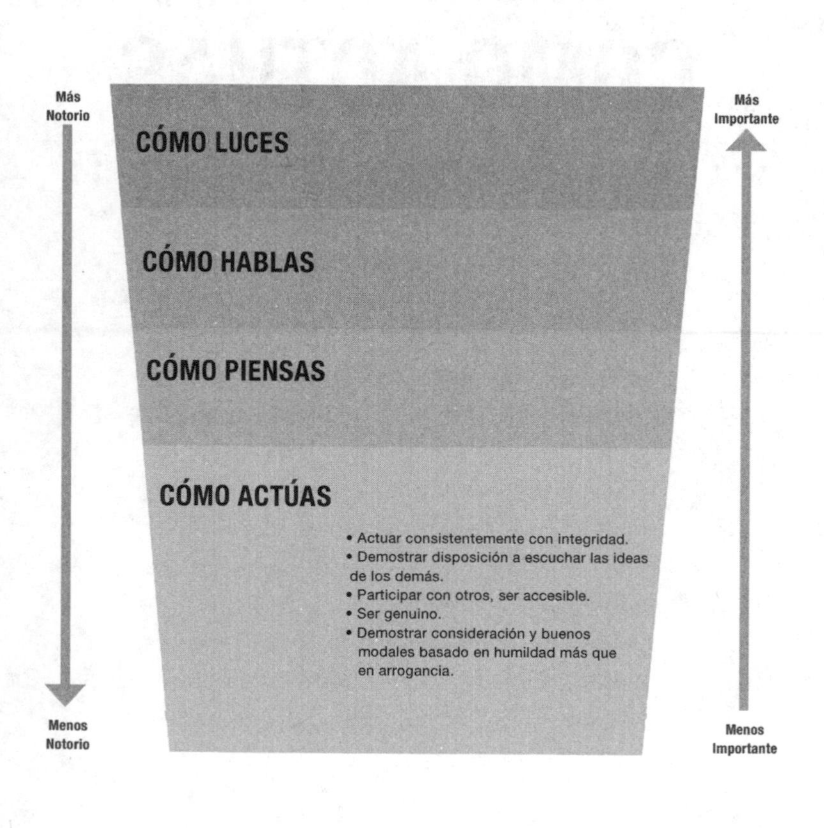
Más
Notorio
CÓMO LUCES
CÓMO HABLAS
CÓMO PIENSAS
CÓMO ACTÚAS
• Actuar consistentemente con integridad.
• Demostrar disposición a escuchar las ideas de los demás.
• Participar con otros, ser accesible.
• Ser genuino.
• Demostrar consideración y buenos modales basado en humildad más que en arrogancia.
Menos
Notorio
Más
Importante
Menos
Importante

16

Involúcrate emocionalmente

"Muchos olvidan lo que has dicho, pero nunca olvidarán
la manera en que los hiciste sentir".
—Carol Buechner

"No lo oímos", gritó uno de los trabajadores en medio de los escombros cuando el Presidente George W. Bush comenzó a hablar de improviso desde el techo de un camión de bomberos cuando fue a recorrer y ver los daños del ataque del 11 de septiembre en el World Trade Center.

"Bueno, yo te escucho. Todo el mundo te escucha. Y quienes derribaron estos edificios pronto sabrán de nosotros".

Su comentario se conectó con los corazones de los americanos que estaban sintiendo las mismas crudas emociones. Muchos dicen que ese fue el día en el que él se hizo su presidente; marcó la talla de su popularidad. Sus oponentes lo siguieron catalogándolo como atractivo así cada vez estuviera más cansado y a pesar de sus políticas hacia el final de su segundo periodo en el cargo.

Por otro lado, John Kerry fue mucho más criticado por su saludo artificial en la Convención Demócrata Nacional cuando pasó al atril y dijo: "Soy John Kerry, reportándome para el servicio". Ensayado. No emotivo. Desconectado.

El Presidente Barack Obama también vivió la misma curva de aprendizaje respecto al involucramiento emocional. En su posesión del 2.008, la conexión emocional era elevada y el país vio a su primer presidente afroamericano y su esposa Michelle recorrer la Avenida Pennsylvania y saludar a los simpatizantes. Pero después de esos primeros meses, sus niveles de popularidad declinaron cuando él mismo admitió que luchaba por mantener la conexión con el pueblo americano. Los americanos desean que sus líderes se involucren con ellos, no sólo que los encuesten. Los empleados quieren que sus ejecutivos los escuchen, no sólo que les asignen proyectos o que firmen los cheques de pago. Los clientes quieren que sus proveedores se interesen en sus retos comerciales, no sólo que les vendan productos o servicios.

Quienes tienen presencia se esfuerzan por involucrarse emocionalmente así como físicamente.

Pero la presencia emocional requiere permiso.

Pocos permitirán que te entrometas cuando quieras. De hecho, la vida en el carril de alta velocidad exige que, por defecto, desconectemos a los demás literal y figurativamente. Entonces, ¿qué es lo que hace que las personas te inviten a sus vidas, por así decirlo?

Dos cosas: credibilidad y simpatía. Puedes ser creíble y lograr que los demás elijan tu inteligencia y se beneficien de tu trabajo, pero que también decidan no estar cerca de ti si no es necesario. Por otro lado, puedes ser agradable, ser el alma de la fiesta con quien todos quieren estar. Pero la gente puede pensar que la información importante que proporcionas, o tus competencias de desempeño, no son confiables en momentos de reto.

La combinación de simpatía y credibilidad son características en un líder con imagen. Es por eso que los encuestadores políticos crean preguntas de encuestas con la intención de medir los niveles de simpatía de los candidatos así como sus puntuaciones de aptitud.

La percepción de ambas conduce a dar buena imagen personal y a la presidencia.

La simpatía puede ser difícil de definir, pero sabemos cuándo la sentimos. Nos agradan las personas que muestran interés en nosotros y que son interesantes. Nos gustan las personas que nos son familiares, que son similares a nosotros, confiables genuinas, transparentes, humildes, positivas y que nos aceptan.[24]

Entonces, ¿cómo mostrar simpatía?

Acércate a los demás: ten como meta el dar atención en lugar de recibirla

El lema "mover los hilos" viene de una metáfora, un componente muy visual de un rasgo o hábito de personalidad. Estas personas no sólo se mueven en medio de muchas redes, tienen muchas relaciones y estrechan muchas manos, sino que también toman la iniciativa para acercarse a la gente. Cuando personas desconocidas entran a un salón, aquellos con imagen se les acercan confiadamente, se presentan, actúan como anfitriones, hacen presentaciones y las conectan con otros en el grupo. Se acercan y les dan atención a los demás.

A diferencia de los "floreros" que se quedan concentrados en sí mismos, parados a un lado, mirando como si se fueran a marchitar, las personas con imagen se ponen al frente para servir. Por consiguiente, los demás sienten su imagen debido a la atención que dan, no la que reciben.

Considera lo que ves cuando estás usando un espejo de mano. Sostén el espejo a la distancia de tu brazo y tu imagen será pequeña. Acerca el espejo poco a poco hasta tu cara y tu imagen crezca y parezca que te va a comer. Para tener ese mismo efecto de "más interesante y emocionante" ante los demás, toma la iniciativa para acercarte a ellos, preséntate, estrecha sus manos, deséales lo mejor y despídete cuando se vayan de la reunión.

Sé asequible

Recientemente vi un título en la *Lista del Harvard Business Review* que me intrigó: "No asumas que soy tonto sólo porque soy amable".[25] La profesora y escritora de la Escuela de Negocios de Harvard, Amy J.C. Cuddy, señala que muchos gerentes rápidamente concluyen que simpatía y competencia son mutuamente excluyentes. Eso explica por qué algunas personas se mantienen distantes de aquellos a quienes sirven y con quienes trabajan.

La exclusividad no es algo nuevo. Hace más de 500 años, Maquiavelo tuvo la misma idea cuando estudió la relación entre el temor y el poder. Las personas le prestan atención a quienes tienen poder para recompensarlas o castigarlas. Pero la gente *disfruta* estar con quienes son agradables, humildes y viven dispuestos a darles todo el tiempo del día.

"Las personas le prestan atención a quienes tienen poder para recompensarlas o castigarlas. Pero la gente disfruta estar con quienes son agradables, humildes y viven dispuestos a darles todo el tiempo del día".

Recientemente, en la recepción de la boda de mi sobrino, el padrino dio un gracioso pero conmovedor discurso para la novia y el novio. Al verlo interactuar con los demás invitados en la noche sería difícil adivinar que era oncólogo en una prestigiosa clínica de cáncer. Sin pretensiones. Genuinamente interesado en los demás.

Un famoso comentarista deportivo de ESPN presenta los juegos del fin de semana en televisión; luego se sienta en silencio en medio del público en su iglesia cuando está en la ciudad y aplaude con aprecio cuando varios aficionados hablan en el escenario. Sin ninguna pretensión ante los menos conocidos.

Estas personas siguen siendo asequibles y sus amigos las admiran por su carácter, no sólo por su notoriedad.

Escucha con verdadero interés

Hay cuatro maneras en que es posible demostrar que estás escuchando: (1) Usando lenguaje corporal cortés. (2) Haciendo preguntas. (3) Respondiendo preguntas. (4) Tomando acciones según lo que has escuchado.

Para generar buenas relaciones cuando estás escuchando, conscientemente elige reflejar. Bostezar es una de las formas de reflejo inconscientes más familiares para la mayoría de nosotros. Si ves a alguien bostezando, antes de darte cuenta, también estarás bostezando. Entra a un salón donde todo el mundo está susurrando y de inmediato bajarás la voz y empezarás a susurrar para estar a la par con los que te rodean. Alguien con quien te cruzas por el corredor te sonríe y asiente y de inmediato tú asientes y sonríes. Esos son ejemplos de reflejo subconsciente.

Para hacer que los demás se sientan aceptados y crear conexión, refleja de forma intencional su lenguaje corporal y lleva su mismo ritmo y patrón de conversación. Pero reflejar las expresiones faciales con los hombres no funciona tan bien porque usualmente ellos no son muy expresivos en su cara. Así que si como mujer alguna vez te han dicho que eres "muy expresiva" o "muy transparente" con tu cara, entonces cuando estés escuchando a los hombres, mantén una expresión seria para que te consideren más inteligente y experta. Cuando los hombres escuchan a una mujer, deben reflejar su expresión demostrando que están escuchando. Dale toda tu atención a la persona que está hablando. Deja de hacer lo que estás haciendo y mira directamente a los ojos a la persona. Inclina levemente tu cabeza hacia un lado. El mensaje literal es: "Te estoy escuchando".

Haz preguntas respecto a lo que está diciendo la persona que está hablando para poder aclarar los pensamientos y verificar que has escuchado correctamente y que has llegado a las conclusiones que son. Responde a las preguntas de manera específica en lugar de hacerlo vagamente. Da seguimiento con acciones para demostrar que has escuchado y que estás de acuerdo con lo que te han pedido que hagas.

Después de todo, ¿qué tan frustrado te sientes cuando tienes que llamar varias veces a una empresa de tarjetas de crédito, o a una agencia de seguros, o a una entidad de salud para que corrijan una factura, lo cual debía haber sido hecho con tu llamada inicial si el representante te hubiera escuchado? Tales interacciones sólo suceden una o dos veces con la misma persona. Pero piensa en la impresión negativa que se genera cuando es habitual no prestarle buena atención a los compañeros de trabajo durante mucho tiempo.

Benjamin Disraeli tenía razón cuando dijo: "Háblale a una persona acerca de sí misma y te escuchará por horas". ¿Cuál es la magia de esta mezcla? Él o ella pensarán que eres extraordinario. Escuchar aumenta la simpatía y la simpatía conduce a confianza.

Expresa empatía

El notable psicólogo William Ickes, de la Universidad de Texas, ha estudiado a fondo la empatía y escribió esto: "Aquellas personas que son perceptores acertados de empatía son consistentemente buenas para 'leer' los pensamientos y sentimientos de los demás. Además de ser iguales, es muy probable que sean los consejeros más discretos, los oficiales más diplomáticos, los negociadores más efectivos, los políticos más elegibles, los vendedores más productivos, los maestros más exitosos y los terapistas más perspicaces".[26]

Tuve la oportunidad de escuchar a un miembro del equipo del Servicio de Finanzas y Contaduría del Departamento de Defensa cuando habló orgullosamente de los principales logros de la agencia: su habilidad para hacer llegar dinero a las familias de militares que fueron víctimas de las últimas inundaciones en la Costa de Luisiana. Su lenguaje corporal y su voz sugerían una gran empatía con las familias a quienes había servido personalmente al entregarles cheques a lo largo de la costa.

Para tener empatía con los demás, debes conocer y entender su situación. Encuentra cosas en común, en lugar de hacer la vieja pregunta de "¿A qué te dedicas?". Intenta con: "Cuéntame de tu trabajo" "Dime en qué estás trabajando en este momento". Cuando te respondan de forma general o ambigua, pregunta: "¿Por ejemplo?" Trata con cosas específicas. Profundiza en busca de detalles. Demuestra interés.

Comenta las cosas comunes. Pide una opinión acerca del evento. Indaga sobre la comodidad o las molestias de los demás con la organización, acerca de la comida servida, sobre el entretenimiento, sobre cómo conocieron a otros invitados. Pregunta sobre los planes para la próxima semana, el fin de semana, las vacaciones o para el siguiente proyecto o un reto actual. Escucha sus respuestas y haz comentarios o preguntas genuinos.

Considera la prueba del cepillo de dientes

No importa a cuántas personas les agrades, muy seguramente no querrán compartir su cepillo de dientes contigo. Ten cuidado de no violar el sentido de espacio personal de los demás.

"No importa a cuántas personas les agrades, muy seguramente no querrán compartir su cepillo de dientes contigo. Ten cuidado de no violar el sentido de espacio personal de los demás".

La familiaridad conduce a la simpatía. Pero también puede llevar a un reducido sentido de respeto. ¿Recuerdas la chistosa definición de un consultor? Alguien que lleva un portafolio más grande y viaja más de 100 millas lejos de casa. Piensa de esta manera: permite que tu hijo adolescente te llame a las 2:00 a.m., pero no les vayas a dar esa misma libertad a tus amigos de Facebook o a tu florista.

Considera el lado físico de la prueba del cepillo de dientes. El Doctor Edward Hall, de una manera más formal, llama a este principio de espacio personal, el estudio de proxémica. La zona

"La familiaridad conduce a la simpatía. Pero también puede llevar a un reducido sentido de respeto".

íntima está entre 6 y 18 pulgadas. Sólo quienes son emocionalmente muy cercanos a nosotros pueden entrar en esa zona, los amantes, la familia, las mascotas. La zona *personal*, entre 18 y 48 pulgadas, es la distancia entre nosotros y alguien en una fiesta de la oficina o una reunión de la Asociación de Padres. La zona *social*, entre los 4 y 12 pies, representa la distancia que solemos permitir entre nosotros y personas desconocidas o quienes no conocemos muy bien como una persona que hace reparaciones o el empleado de una tienda. La zona *pública,* más de 12 pies, es donde nos paramos para dirigirnos a un grupo de personas. Las mujeres tienden a pararse más cerca que los hombres y los hombres tienden a pararse un poco más distanciados. La distancia también varía según las culturas.

Viola estas normas no escritas al invadir el espacio de otros y te considerarán como alguien agresivo e intimidante. Has usado su cepillo de dientes. Es probable que no te digan de forma directa que quites tu iPad de su escritorio o que dejes de mover tu brazo frente a su cara, pero emocionalmente se cerrarán. Si los dos están de pie, la otra persona dará un paso hacia atrás. Si tú vuelves a acercarte, entonces volverá a dar otro paso para distanciarse. El baile ha comenzado.

"Ten cuidado con los toques y sé consciente del mensaje de dominio que estás transmitiendo. Esto puede activar desprendimiento emocional en lugar de empatía".

Aunque el toque comunica interés con tus amigos cercanos, también transmite estatus en nuestra sociedad. Es una muestra de dominio, un apretón de manos, un toque en el brazo, un roce con alguien al ir por el pasillo. Ten cuidado con los toques y sé consciente del mensaje de dominio que estás transmitiendo. Esto puede activar desprendimiento emocional en lugar de empatía.

Asóciate con lo popular y placentero

Además de los aspectos físicos de espacio y contacto, considera el espacio emocional. Es decir, que para mantener tu imagen, asóciate emocionalmente con lo placentero y distánciate de lo no agradable o impopular.

En el mundo del mercadeo este principio de asociación emocional entra en escena todos los días. Los publicistas usan hermosas modelos para vender sus autos, celebridades del deporte para respaldar equipos de entrenamiento y médicos para vender equipos médicos o medicinas. Las organizaciones sin ánimo de lucro invitan a celebridades a que presten su nombre para su causa siendo presidentes honoríficos para sus eventos de recaudación de fondos de caridad.

En su excelente libro, *Influence*, Robert Cialdini, escribe extensamente de su investigación sobre el principio de asociación. Él presenta investigaciones en áreas de la vida diaria que probablemente tú mismo has vivido. Por ejemplo, el principio de asociación está en juego cuando las estaciones de radio anuncian llamadas justo antes de transmitir las mejores canciones del día. Cuando los admiradores hablan acerca del equipo de su universidad local o del equipo deportivo profesional, diciendo "ganamos" cuando tienen una temporada de triunfos, o "perdieron" cuando es todo lo contrario. O cuando culpan a los meteorólogos por el mal clima que pronosticaron.[27]

El cliché "no le dispares al mensajero" advierte sobre la naturaleza humana y este principio de asociación. Ya sea gloria o culpa, el reflejo recae sobre los que están cerca. Así que presta atención a quién y con quién estás siendo asociado.

Conviértete en experto. Y, como lo dijo Virgilio: "Sigue a un experto", hasta que tú seas uno. Hazte presente e involucra a otros cuando y donde sucedan cosas buenas.

17

Domina la modestia y cuida tus modales

"De los billonarios que he conocido, el dinero sólo les quita los rasgos básicos. Si eran tontos antes de tener dinero, ahora son simplemente tontos con un billón de dólares".

—Warren Buffett

Con un título de ingeniería de la Universidad A&M de Texas, Dave parecía estar al borde del desastre. Había aspirado a la escuela de posgrado de varias universidades de primera clase y todas lo habían rechazado. Sus calificaciones no eran ningún problema. Su actitud resultó ser su debilidad cuando llegaba a su entrevista con el Comité de Admisiones o el Decano. Finalmente recibió una llamada de Dartmouth. Considerando que esa podía ser su última oportunidad, los padres de Dave llamaron a una colega mía para que lo entrenara como preparación para el proceso de entrevista de ingreso.

"Entonces, ¿por qué se te está haciendo tan difícil?" le preguntó su entrenadora. "No me agrada la gente", le dijo Dave.

"¿Por qué?".

"Son tontos".

"¿Todos?".

"Todos". El resto de su sesión de familiarización demostró ser reveladora. Toda su vida Dave había tenido dificultades debido a su comportamiento antisocial. Era una persona brillante pero solitaria, hacía y decía todo lo que pensaba y sentía.

Su entrenadora psicóloga le dio una tarea para la siguiente sesión vía telefónica. "Para mañana quiero que pienses en alguien que te agrade y prepárate para decirme algo positivo acerca de esa persona".

"No puedo".

"Estoy segura que puedes si piensas un poco en eso. Tienes toda la noche".

La mañana siguiente él llamó a la hora acordada. "Pensé en alguien", dijo. "Mi hermano".

"En nuestra cultura, la rudeza, la cual suele provenir de la arrogancia, ocurre con frecuencia. Pero las personas con imagen llevan una vida cordial. Sobresalen entre la multitud de personas groseras".

"Genial". Su entrenadora estaba complacida. "¿Qué cosa positiva puedes decir de él? ¿Cuál es su fortaleza?" "Es amable conmigo".

Dave hablaba muy en serio. Había tardado más de 24 horas para encontrar esa sobresaliente cualidad. Pero afortunadamente para Dave, después de varias sesiones más con su entrenadora, le fue muy bien en la entrevista y logró su admisión a Dartmouth.

A comienzos de su adolescencia, Dave fue diagnosticado con Síndrome de Asperger, un comportamiento que se caracteriza por tener muchas dificultades de interacción. Pero mi objetivo en contarte esta historia es este: aunque la franqueza de Dave en la conversación anterior suena extraña y atípica, su comportamiento arrogante no lo es.

En nuestra cultura, la rudeza, la cual suele provenir de la arrogancia, ocurre con frecuencia. Pero las personas con imagen llevan una vida cordial. Sobresalen entre la multitud de personas groseras.

Demuestra buenos modales con los dispositivos electrónicos

En esta cultura con déficit de atención, la falta de cortesía se excusa desarrollando tareas múltiples: mantener una conversación cara a cara mientras revisas tu correo electrónico en tu iPhone o envías un mensaje de texto. La campaña de publicidad por televisión de Microsoft "En serio", presenta a personas que están revisando su correo electrónico o enviando mensajes de texto en toda suerte de lugares inadecuados: mientras están en el baño, cenando en una cita, caminando por una escalera llena de gente. Los espectadores desesperados dicen la sencilla frase de cierre: "¿En serio?". Aunque el significado de fondo implica lo absurdo de todo, es tan real como para levantar las cejas.

Si trabajas en esa cultura, todo lo que tienes que hacer para mejorar tu imagen es estar presente. Es decir, cuando hables con la gente, muéstrate. Guarda tu teléfono Blackberry, Android o iPhone y haz contacto visual. Escucha a los demás cuando estén hablando contigo. Si trabajas en una cultura de sólo correos electrónicos, haz una llamada para resolver en dos minutos un problema que de otra forma requiere un intercambio de 5 correos electrónicos durante 5 días. Encuéntrate personalmente con otros. Te va a sorprender cuánto mejorará tu influencia sobre alguien cuando estás completamente presente e involucrado.

"Si trabajas en esa cultura, todo lo que tienes que hacer para mejorar tu imagen es estar presente. Te va a sorprender cuánto mejorará tu influencia sobre alguien cuando estás completamente presente e involucrado".

¿Recuerdas lo que normalmente piensas de aquellas personas que te estrechan la mano en un coctel mientras miran por encima de tu hombro para ver si alguien más importante ha llegado? Ese es el sentimiento que los demás tienen si estás mirando tus dispositivos electrónicos mientras ellos tratan de captar tu atención respecto a una táctica para un nuevo proyecto o propuesta. Por lo general, lo que se necesita en medio de esta masiva falta de cortesía es decidir ser intencional cuando se escucha a un compañero de trabajo.

Sal con confianza de los encuentros de creación de redes

En eventos para establecer nuevos contactos, no te quedes por mucho tiempo con una sola persona. Conversa por 5 ó 15 minutos (dependiendo de la duración de todo el evento), y luego avanza. Al terminar tu conversación, despídete de manera sencilla y breve. Comienza a hablar en pasado: "Ha sido agradable hablar contigo y saber de X". "Fue muy interesante conocerte. Ahora sé por qué Kim habla tan bien de la División de Finanzas". "Me encantaría hablar más contigo respecto a esto en otra ocasión. De pronto te llamo o por lo menos nos vemos en la próxima reunión". "¿Tienes una tarjeta? Me gustaría guardar tu información de contacto". "Ha sido agradable conocerte. Te buscaré en LinkedIn para ver qué otros grupos y personas tenemos en común".

Luego dale la mano y sal. No es necesario excusarte por que necesitas más bebidas, lograr hablar con otra persona antes de que se vaya o ir a la mesa del buffet, a menos que ése sea el caso. La gente espera que las conversaciones terminen. Ese es el propósito. Caminar y hablar.

Sigue el protocolo cuando se trate de mezclar los negocios con placer

Debido a las grandes exigencias de tiempo, los ejecutivos mezclan su vida social con el trabajo, por lo general desarrollan relaciones personales por medio de contactos de negocio y viceversa. Como dice el viejo adagio: "Las personas hacen negocios con quienes les agradan". Sé el enlace que une a los demás para desayunar, almorzar, cenar, jugar golf, hacer un comité de trabajo o causas sociales. Como consecuencia resultarán negocios.

Asegúrate de estar cómodo en esos entornos sociales y de entender el protocolo y las reglas de etiqueta en cada una de esas situaciones: qué presentaciones preparar, qué tiempos y temas de negocios son adecuados, la ropa apropiada, quién llega primero, quién paga. Las cosas pequeñas bien hechas son las que gritan "clase".

Reglas básicas de etiqueta en los negocios

P. ¿Quién paga en una cena de negocios?

R. *Quien hace la invitación, paga. Desde luego, siempre es de buen gusto ofrecerse para pagar. (La excepción para esta regla básica es cuando compañeros de trabajo suelen almorzar juntos y pagan por su propia comida).*

P. ¿Deberías llevarle un regalo al anfitrión cuando un colega de negocios te invita a su casa a cenar o para un evento?

R. *Sí. Es apropiado llevar cosas como comida, una bebida, flores, un pequeño artículo de decoración para la casa (como una vela o un marco de fotografía).*

P. ¿Quién debería llegar primero cuando se sale a cenar? ¿Está bien llegar tarde?

R. *El anfitrión debe llegar primero. La puntualidad distingue la clase de una persona. Hacer una gran entrada al llegar "elegantemente" tarde puede ser muy bueno para las relaciones públicas de las estrellas de cine, pero nunca muestra buenos modales en un escenario de negocios. La falta de puntualidad muestra irrespeto por el tiempo de los demás.*

P. ¿En qué momento es adecuado hablar de negocios cuando te reúnes con un colega para comer?

R. *En este punto las costumbres varían según la cultura. En algunas culturas las discusiones de negocios nunca comienzan hasta que la comida ha terminado. Los de Occidente por lo general empiezan la conversación de negocios mucho antes, después del primer plato. Si es un almuerzo casual y sólo van a tener un plato, la discusión puede comenzar incluso antes, pero nunca antes de la conversación informal que genera compenetración.*

P. ¿Cuándo deberías intercambiar tarjetas de negocios?

R. *La costumbre varía de cultura a cultura. En algunos países las tarjetas de negocios se entregan en el primer encuentro. Es un insulto no tenerlas, léelas cuidadosamente y luego trátalas con respeto (nunca para tomar notas). En las culturas occidentales, las tarjetas de negocios se intercambian al despedirse como diciendo "a propósito", o se entregan durante la conversación y se usan para tomar notas.*

P. ¿Deberías intercambiar tarjetas durante una cena?

R. *No. Hazlo antes o después de la cena.*

P. ¿Cuándo y cómo debes enviar notas de agradecimiento?

R. *Las notas de agradecimiento siempre sugieren buen gusto. Envíalas después de una entrevista de trabajo, una cita, una fiesta, una cena a la que has sido invitado, o cuando quieras que te recuerden como alguien de buenos modales. Tradicionalmente, una nota de agradecimiento siempre se escribe a mano y se envía por correo postal. Hoy en día por lo general se envían por correo electrónico. Más importante que todo, deben ser rápidas, sinceras y breves.*

P. Al presentar a otras personas, ¿quién introduce a quién?

R. *La persona cuyo nombre llamarías primero es la persona a quien honras. Presenta a alguien más joven ante una persona de mayor edad, a un colega junior ante alguien con una posi ción de mayor antigüedad, a un compañero de trabajo ante un cliente, y así sucesivamente. Por ejemplo: "Señor Jefe, quiero presentarle a mi hijo". "Señora cliente importante, este es este es Tom. Ha estado trabajando en su proyecto tras bambalinas".*

P. ¿Es adecuado usar perfume o colonia en el trabajo?

R. *Sí, pero asegúrate que sea sutil, Las fragancias baratas son fuertes y ofensivas. Ten presente que algunas personas son alérgicas a los aromas.*

P. ¿Es adecuado ponerse labial en la mesa después de cenar en lugares públicos?

R. *No. Ve a un lugar privado.*

P. ¿Es adecuado que los hombres usen sombrero o gorras al entrar a una casa, restaurante, teatro o lugares de adoración?

R. *No. Los sombreros y gorras son adecuados afuera y en eventos deportivos así sea dentro de instalaciones bajo techo.*

P. ¿Cuándo se deben estrechar las manos?

R. *Estrechar las manos es el típico saludo de negocios que muestra buena voluntad en la cultura occidental. Si por alguna razón no estás muy seguro en cuanto a una situación, es mejor que esperes para ver si la otra persona te extiende la mano primero.*

NOTA: Para mayores detalles respecto a estas normas y otras que pueden variar de cultura a cultura, lee mi libro *Communicate with Confidence: How to Say It Right the First Time and Every Time.*

Gánate tu lugar en la mesa

Tu profesionalismo y serenidad al comer amplían la percepción de tu imagen en muchos frentes, ya sea como representante de tu organización o como una persona segura y cómoda en cualquier escenario. Aprende y ten presentes las reglas básicas de etiqueta en la mesa para que tus amigos y colegas puedan "invitarte y salir contigo". Cena con confianza para que digieras con facilidad.

Las normas bajas y sucias de etiqueta en la mesa

1. Nunca confundas. Recuerda PCA. Es decir, nunca te sientes a la mesa preguntándote en voz alta: "¿Es este tu plato de comida o es el mío?". "Perdón, ¿tomé tu vaso de agua?". La distribución correcta de los utensilios delante de ti, de izquierda a derecha, siempre va a ser P (Pan), C (Comida), A (Agua). Elígelos y úsalos adecuadamente.
2. Mantén la mesa sin desorden. Pon tus llaves, teléfono celular, bolsos de mano, sombreros, maletines y demás cosas, debajo de tu silla, en una silla vacía o en el piso.
3. Presta atención a tu postura. Siéntate derecho y lleva la comida a tu boca en lugar de agacharte sobre la mesa y bajar la boca hacia la comida.
4. Sigue el ritmo de tus acompañantes para que no seas notoriamente más rápido ni más lento.
5. Durante la cena pon la servilleta (doblada por la mitad con el doblez hacia tu cuerpo) sobre tu regazo. Si durante la cena tienes que alejarte de la mesa, pon tu servilleta en la silla y mete la silla debajo de la mesa. Al terminar de comer, deja la servilleta suavemente sobre la mesa al lado izquierdo de tu plato.
6. Elige los cubiertos de afuera hacia adentro del plato así como vas tomando la comida. Si te sirven la ensalada al mismo tiempo que la entrada, come la ensalada con el tenedor de comer. Cuando hayas tomado un cubierto, nunca lo vuelvas a poner sobre la mesa, sino déjalo sobre el plato. Cuando termines con tu comida, pon los cubiertos sobre el plato en ángulo, con las puntas en posición de diez en punto y los extremos en posición de cuatro en punto (como si el plato fuera un reloj).

7. Sólo corta una porción de comida a la vez.
8. Pasa la sal y la pimienta al tiempo. Si alguien te "pide la sal", pregunta si también desea la pimienta.
9. Pasa la comida (el pan, el postre, los platos grandes con comida para servirse) de derecha a izquierda.
10. Nunca mastiques con la boca abierta, ni hables mientras tienes comida en la boca.

Tranquiliza a los demás

Tu valor aumenta a medida que la ansiedad de quienes te rodean, disminuye. Nunca trates de corregir a un colega o cliente cuando infrinja alguna norma de etiqueta. Si no te presentan adecuadamente, preséntate tú mismo. Si, por error, se comen tu pan, termina tu cena sin él

A nadie le gusta sentirse inadecuado, mal preparado, incapaz o no informado. Lo que sea que puedas hacer para suavizar la incomodidad de alguien y ayudarlo a sentirse aceptado, inteligente, y capaz, aumentará la percepción que esa persona tiene acerca de tu imagen y sabiduría.

"Tu valor aumenta a medida que la ansiedad de quienes te rodean, disminuye. A nadie le gusta sentirse inadecuado, mal preparado, incapaz o no informado".

Desecha las frases arrogantes de tu vocabulario

El vocabulario arrogante crea hábitos. En lugar de sonar autoritario, suena más prejuicioso y ofende a quienes va dirigido. Mira los siguientes ejemplos y considera la diferencia en la manera como se perciben los mensajes.

¿Con qué persona preferirías conversar durante un vuelo de tres horas? Si eliges al conversador prudente, estoy de acuerdo contigo.

Lenguaje arrogante *versus* lenguaje prudente

"Permíteme ser bien claro..." *(Eso es ser autoritario, suena como un padre hablándole a un hijo)* comparado con: "Quiero hacer énfasis en...".

"Debo informarte que..." *(Suena demasiado formal y cargado)*, comparado con: "Quiero que sepas que..."

"Discrepo de...". *(Hace énfasis en la discrepancia y el conflicto)* frente a: "Yo creo que...". O sencillamente expresa tu opinión sin esa frase introductoria.

"¿Cómo puedo decir esto sin que me malinterpretes?" *(Enfatiza que la otra persona es tonta)* comparado con: "Quiero explicar esto con claridad". O simplemente replantea tu información u opinión de una manera más clara.

"Estás equivocado". *(Pone a la otra persona en el lugar del error)*, frente a: "No estoy de acuerdo", "Tengo una opinión diferente en ese sentido" o "La información que tengo al respecto es diferente...".

"No es cierto". *(Da por hecho una opinión)*, frente a: "No lo veo de esa manera".

"Los datos demuestran otra cosa". *(Un tono autoritario que pone a la otra persona en el error)*, frente a: "Los datos difieren".

Deshazte del lenguaje corporal arrogante

El lenguaje corporal arrogante es igual de desagradable al vocabulario arrogante. Posiciones tan clásicas como levantar la barbilla, transmiten una actitud de desdén que probablemente no sea tu intención. (Para tener mayor información respecto al mensaje que transmite tu lenguaje corporal, lee el capítulo 5).

Otra expresión de arrogancia es reclamar territorio al querer tomarse espacios públicos como el paso hacia el enfriador de agua, la barra de meriendas, la sala de entrenamiento. Las personas arrogantes se paran en la puerta de salida de la sala de juntas y bloquean la salida de los demás forzándolos a pasar por el lado o pedir permiso para entrar. Reclaman territorio al poner su chaqueta sobre otra silla de la sala de reuniones o dispersando sus dispositivos electrónicos o papeles alrededor de ellos en la mesa de reuniones. Esas acciones dicen: "Estoy manifestando mi posesión sobre esta propiedad pública porque mis derechos y necesidades son mayores que los de los demás".

Esos actos de arrogancia generan resentimiento en lugar de respeto.

El comportamiento amable y los actos de cortesía sencillos nutren nuestro interior. La indecencia le roba el gozo a nuestra sociedad cuya filosofía es 'El tiempo es dinero'; además degrada la distinción individual. Las buenas maneras son una muestra de modestia y clase.

Golda Meir, la ex Primera Ministra israelí, en una ocasión bromeó diciendo: "No seas tan humilde, no eres tan grande". Siguiendo ese pensamiento a la inversa: desarrolla tu imagen y reputación personal a tal grado que dejes espacio para la modestia y las buenas maneras.

18

Aligera sin decepcionar

"Un agudo sentido del humor nos ayuda a pasar por alto lo impropio, a entender lo no convencional, a tolerar lo que no es placentero, a superar lo inesperado y a soportar lo insoportable".

—Billy Graham

Jonás entró en la habitación a media noche caminando de puntitas después de terminar con sus tareas en el empleo extra que tenía en el Ball Park de Arlington. Aunque tenía un empleo de día como contador, su segundo trabajo le ayudaba para la diversión en su vida, pues le proporcionaba entradas gratis a los juegos de los Ranges de Texas. Su amigo Bo, propietario de una pequeña empresa y proveedor de dotaciones para el equipo, lo acompañó a ver el juego después de salir de su trabajo.

Su esposa, que ya estaba dormida, se despertó y le preguntó: "¿Cómo estuvo el juego?".

"No me creerías si te lo contara. Sólo vuelve a dormir y te lo explicaré en la mañana". Así que ella se durmió y él también.

Resulta que poco después que el lanzador del Salón de la Fama y líder de todos los tiempos de Las Grandes Ligas del Béisbol, Nolan Ryan, actual propietario de los Rangers de Texas, superara la oferta que Mark Cuban, propietario de los Maverick de Dallas, había hecho por el equipo, él y sus inversionistas hicieron una gran fiesta en el estadio antes del juego para celebrar. Invitaron a entrenadores y jugadores de las Grandes Ligas del Béisbol. Los dos ex Presidentes George H.W. Bush y a su hijo George W., quien igualmente había sido propietario de los Rangers de Texas, también asistieron al evento.

El personal de relaciones públicas había reunido a la prensa para una sesión de fotografías. Presidentes, agentes del Servicio Secreto, entrenadores de Grandes Ligas y una multitud de jugadores famosos de la Liga habían llegado al salón de recepciones. El gran jefe de mercadeo les dijo a Nolan Ryan y a los dos presidentes que formaran una línea de recibimiento, lo cual hicieron justo al lado de donde se encontraban Jonás y su amigo Bo. De repente, el primer atleta les estaba estrechando las manos. "Es un gusto conocerte".Y luego el siguiente y el siguiente: "Qué gusto verte".Y la fila de jugadores profesionales y célebres entrenadores seguía llegando.

George padre, George hijo, Nolan, Jonás y Bo formaban la fila, además de los dos agentes del Servicio Secreto detrás de ellos. Después que 7 u 8 personas se les habían acercado a estrecharles la mano para presentarse, los dos desconocidos dejaron de tratar de explicar que no pertenecían a la línea de recepción y sólo siguieron desfrutando el momento.

"Hola, me llamo Bo. Es un gusto conocerte Brett".

"Es un gusto conocerlo, entrenador".

"Me alegra que hayas podido venir, Josh".

"Tony, que gusto conocerte".

En lugar de ponerse nerviosos de que alguien los acusara de arruinar la fiesta llena de celebridades invitadas al quedar accidentalmente al lado de la línea de recepción, Jonas y Bo decidieron relajarse y disfrutar de conocer a todos sus jugadores y entrenadores profesionales favoritos. Dieron un buen ejemplo de una manera de enfrentar la vida con tranquilidad.

Y fue una gran historia para contar la siguiente semana en sus trabajos reales.

Usa el humor para abrir los corazones y las mentes

En nuestros talleres de técnicas de exposición, una pregunta que suelen escuchar nuestros consultores es esta: "¿Cuándo está bien usar humor en una presentación técnica de negocios?". Respuesta: casi siempre. La siguiente pregunta es: "¿Cómo define humor? Y ¿dónde se ubica el humor para que funcione mejor?".

El humor, ya sea en una exposición o en una conversación, no necesariamente significa un chiste o una pequeña broma. De hecho, los chistes casi nunca funcionan. Si ya lo has escuchado, asume que los demás también.

Tener sentido del humor sencillamente significa tener la habilidad para ver la vida con alegría. Quienes ven todo como una cuestión de vida o muerte tienen el ceño fruncido permanentemente e incomodan a quienes los rodean.

Las anécdotas personales, las citas humorísticas o los comentarios que se oyen espontáneamente en la calle, el sofismo de una caricatura, una mirada, un gesto, una expresión facial o un ademán, introducidos en el momento adecuado, son toques de humor que funcionan mejor después que hayas creado empatía con tus colegas.

Sencillamente tu disposición y habilidad para "iluminar" son de gran valor al posicionarte como una persona segura, que se siente cómoda en situaciones improvisadas.

Entiende qué está de moda y qué no

Tu imagen puede verse empañada irremediablemente cuando usas el humor de manera inadecuada. Hace muchos años hablé con una clienta sobre la necesidad que tenía de tomar otro programa de entrenamiento. Ella le había solicitado a nuestra empresa el remplazo de una instructora, quien les estaba enseñando las clases de habilidades de escucha. Cuando le pregunté sobre el problema, la respuesta fue: "El curso está bien. El problema es la instructora. Definitivamente no tiene credibilidad en nuestro grupo en cuanto al tema".

"¿Por qué?". Pregunté, con curiosidad respecto a cómo un instructor no podía tener credibilidad como oyente. No es extraño que alguien que enseñe liderazgo no haya "liderado" ninguna gran organización, proyecto o emprendimiento. O un gerente puede estar enseñando habilidades de negociación sin nunca haber negociado un contrato grande. Pero ¿no tener credibilidad para *escuchar*? ¿Cómo podía ser eso?

La clienta continuó: "Bueno, la instructora puede dar una explicación respecto a tener un buen hábito para escuchar e incluso dirigir un ejercicio de práctica. Pero luego relata un incidente chistoso sobre cómo ella misma era una mala oyente. Por ejemplo, hizo énfasis en la importancia de escuchar atentamente los nombres de las personas cuando se presentaban y nos expuso una técnica para recordar nombres. Pero luego contó que el fin de semana pasado había ido de urgencia con su madre al hospital debido a que ella tenía cálculos renales. Entonces bromeó sobre cómo olvidaba constantemente los nombres de las enfermeras. Ella hizo eso durante todo el curso, contar historias chistosas de sí misma como mala oyente hasta que ya no tuvo más credibilidad ante la clase".

El humor ayuda a derribar muros, seguro. Pero la buena imagen personal exige por lo menos una distancia prudente para proteger tu credibilidad.

Además de lo inapropiado que es el humor autocrítico, ten cuidado con el humor dirigido hacia otros.

Considera el alboroto que surgió con el incidente de Don Imus, cuando fue despedido como anfitrión del programa *Imus in the Morning* de MSNBC por su comentario despectivo y fuera de lugar acerca del equipo de baloncesto de mujeres Rutgers, (comentarios que a él le parecieron humorísticos pero que al público no le parecieron igual).

El humor debería ser una afirmación de tu humanidad no la causa de tu caída.

Presta atención a estos 10 consejos de humor

Aunque el humor alivia el estrés, sana las relaciones, y te presenta como una persona segura, por sobre todo, es un llamado al buen juicio. Ten presentes estas directrices:

10 Consejos de humor para crear conexión y mantener credibilidad

1. Evita el humor ofensivo como calumnias raciales o de género.
2. Nunca incomodes a otra persona haciendo que sea el objeto de tus comentarios humorísticos.
3. Usa humor autocrítico para hacerte querer por un público. La autocrítica demuestra humildad y vulnerabilidad.
4. Haz que tus debilidades humorísticas sean comprensibles y que nunca sean algo que aminore tu credibilidad ante los demás.
5. Responde "en el momento" a lo que sucede alrededor tuyo. Esas improvisaciones funcionan bien con el público porque te hacen ver real y presente.
6. Durante una exposición no presentes la historia divertida antes de 2 ó 3 minutos a fin de lograr una mejor respuesta. La risa es un don. El público debe decidir si les agradas antes de darte el regalo de su respuesta.
7. Cuando vayas a pronunciar una parte graciosa párate al lado izquierdo del grupo y obtendrás una mejor respuesta (contrario al lado derecho, desde donde

debes presentar las historias y argumentos emocionales). Este consejo viene de comediantes que se ganan la vida con humor.[28]

8. Presta atención al tamaño del público cuando estés probando algo de humor nuevo. Los grupos grandes responden mejor al humor que los pequeños. Las personas se sienten conscientes de sí mismas cuando ríen en grupos pequeños. Una gran multitud proporciona anonimato.

8. Ten preparadas algunas frases "salvadoras" para accidentes inesperados que suelen presentarse en situaciones formales (problemas técnicos, ruidos fuertes, retrasos, simulacros de incendio).

8. Cuando nadie se ría, mantén la cara erguida y mantén tu postura como si tu intención fuera que el comentario o la historia fueran serios. Expón tu punto y prosigue.

El humor debería ser una afirmación de tu dignidad, no la causa de tu caída.

"Permite que quienes te rodean disfruten de tu compañía sin sentir que deben estar en guardia ante una ofensa contra ellos o contra otros. Tu imagen y buen humor serán un estímulo refrescante en un día, que de otra forma, sería rutinario".

19

Comprométete con lo que comunicas

"La integridad es lo que hacemos, es lo que decimos, y es lo que decimos que hacemos".
—Don Galer

En la película *El Señor Mamá*, después de que el esposo pierde su empleo y se le dificulta encontrar otro, su esposa ama de casa sale a trabajar mientras que él se queda en casa cuidando de los hijos. La autoestima del esposo se desploma cuando el nuevo jefe de su esposa pasa por su casa una mañana temprano a recogerla para una reunión que tienen temprano. Rápidamente el Señor Mamá se arma con una sierra y lentes, se pone un overol al estilo macho y pretende estar de vacaciones terminando un proyecto de remodelación.

El jefe mira la sala de la casa y pregunta: "¿Así que vas a volver a cablear todo?". "Sí. Estoy haciendo toda la parte eléctrica". "¿Estás poniendo 220?". Pregunta el Jefe. "220. 221. Lo que sea necesario". Así acabó con su montaje.

Sólo se necesita una acción o un comentario inadecuados para evidenciar un engaño. Y cuando la credibilidad se pierde, volver a ganarla es una tarea monumental. La gente quiere ver el verdadero tú, la integridad detrás de tu cara, las acciones detrás de tus promesas.

En el panorama económico de hoy, la confianza triunfa sobre el precio.

Hace poco mi empresa estuvo en el proceso de cambiar de oficinas y vender algo de su mobiliario. El gerente de proyectos de la empresa que se hizo cargo de nuestra mudanza invitó a tres empresas a ofertar por el proyecto. Mientras esperábamos que llegaran para mostrarles nuestras instalaciones a fin de que prepararan sus ofertas, él dijo esto: "Hay cientos de firmas. Pero invité a estas tres empresas porque puedo contar con que sí van a venir y hacer lo que dicen. Y ese es el juego de estos días. Probablemente no te den la mejor oferta, pero hacen el trabajo. Hay empresas que ofertan y luego sencillamente no hacen lo que dicen. Me parece asombroso. Cuando estás reubicando a alguien y tienes que sacar empleados de un edificio y llevarlos a otra parte en una fecha determinada, necesitas confiabilidad".

Él estaba hablando de confianza. Woody Allen tenía razón cuando dijo: "El 80% del éxito es llegar". Las personas con imagen llegan. Cumplen sus compromisos. Ese es otro secreto importante de su impacto.

Sin embargo algunas compañías toman la confianza con ligereza. Ponen empleados en posiciones en las que se ven forzados a mentir y engañar. ¿Alguna vez le has prestado atención a algún anuncio promocional de descuento y al ir al almacén descubres que acaban de "agotarse las existencias" pero que tienen otro modelo con un precio un poco mayor? ¿Alguna vez pensaste en cambiar de proveedor de telefonía por un tiempo para poder volver después como "cliente nuevo" y obtener sus tarifas de mitad de precio? ¿Alguna vez te has sentado en un avión preguntándote si el pasajero que va a tu lado pagó la mitad o el doble de lo que tú pagaste por el mismo viaje? Todas esas políticas se mofan de la confianza y enloquecen a los clientes leales.

Las personas crean la misma clase de resentimiento cuando comunican cosas sin compromiso, no guardan secretos y rompen compromisos.

Practica los principios que predicas

Por un momento considera tus valores personales en lugar de sólo pensar en compromisos laborales. Permite que quienes te rodean sepan cuáles son tus principios. Si crees en la disciplina física, dilo. Si crees que se debería invertir más dinero en investigación y desarrollo a expensas de prometer aumentos o incrementar el presupuesto de mercadeo, dilo. Si crees que cambiar de cargo a otro país no tiene sentido, dilo. Si crees que la organización necesita orientarse más hacia la comunidad, da a conocer tus perspectivas y valores.

No debe ser irrelevante si los demás están o no de acuerdo. La gente respeta a quienes expresan con claridad y seguridad lo que piensan, sin criticar cuando otros discrepen o decidan no respaldarlos.

Pero la consistencia cuenta. Aunque los demás no estén de acuerdo con tus puntos de vista, esperan ver consistencia entre lo que dices y lo que haces.

Si dices que eres dedicado a tu familia, no esperan que coquetees en la oficina. Si sirves en el Comité de United Way, esperan que tú mismo seas un donante generoso. Si estás presionando a tu personal para que reduzca gastos, no quieren descubrir que estás planeando un viaje ejecutivo de cuatro días a Bahamas.

Pregúntale a Elio Spitzer, Gobernador de New York y ex Fiscal General, quien fue conocido como "Mr. Clean" y era muy abierto con respecto la ética y los malos procederes en Wall Street. Él persiguió dos círculos de prostitución antes de admitir su propia participación en un círculo de prostitución conocido como Emperor's Club VIP, a pesar de estar casado y tener tres hijos. Pregúntale al ex Gobernador de Carolina del Norte, Mark Sanford, quien abogaba por los valores familiares y luego pidió el perdón de los votantes cuando se descubrieron sus amoríos con su amante argentina. Pregúntale a Mel Gibson, actor y productor, respecto a la reacción ante sus arrebatos racistas cuando está ebrio y enfadado. Pregúntale a John Edwards cómo las encuestas se volvieron contra él cuando se hizo pública su aventura amorosa con Rielle Hunter. Pregúntale a Anthony Weiner respecto a la lealtad de sus colegas después que aparecieron sus fotos.

La percepción de la imagen de alguien cambia cuando hay un conflicto entre sus valores personales y públicos. Quienes una vez fueron tenidos en alta estima se vuelven el hazmerreír.

El caso de consistencia incluso genera dificultades entre los admiradores cuando se trata de separar a los actores y actrices de los papeles que realizan en sus películas o series televisivas.

> "La vida por lo general funciona bien mientras hagamos lo que decimos".

La gente quiere que los demás vivan los papeles, valores y normas que han creado por sí mismos. La vida por lo general funciona bien mientras hagamos lo que decimos.

Di la verdad

El embellecimiento es parte de la naturaleza humana. Siempre, desde que los cavernícolas empezaron a tallar imágenes en rocas representando a quien se había ido, la gente ha procurado dar una buena impresión, fallando de vez en cuando. El problema ahora es que la mentira se puede lanzar al mundo vía Twitter y vivir para siempre en el ciberespacio. La gente tiene el recurso de buscarte por Google dentro de 50 años y descubrir el engaño.

En el año 2.003 un estudio adelantado por la Sociedad de Administración de Recursos Humanos, encontró que el 53% de todas las solicitudes de empleo tenían alguna clase de información incierta. En una encuesta de CareerBuilder realizada en el año 2.008, sólo el 8% de los encuestados admitió mentir en sus hojas de vida, pero casi la mitad de los empleadores potenciales dijo que había sorprendido al solicitante mintiendo respecto a algún aspecto de sus aptitudes. ¿Cuál es el resultado? Casi el 60% de esos empleadores dijo que de inmediato había descartado a los aspirantes que habían sido sorprendidos haciendo declaraciones erróneas.[29]

Decir la verdad no significa revelar todo lo que sabes. Hay algunos asuntos que deberían seguir siendo confidenciales. Otros no son relevantes en una discusión. Es probable que no estés autorizado a revelar algo por razones legales o porque si lo haces violarías los derechos de privacidad de la gente que te rodea. Cuando ese sea el caso, dilo o guarda silencio en cuanto al tema. Cuando no sabes algo, es perfectamente aceptable decir que no lo sabes y decirle a alguien que le proporcionarás la información cuando la tengas o cuando tengas libertad para hacerlo.

Pero decir la verdad significa que no hay lugar para las mentiras o el engaño. En nuestra encuesta Booher, les pedimos a los encuestados que hicieran una lista de los rasgos que consideran más importantes en un líder. Integridad y honestidad recibieron la respuesta con más puntaje, 33%, con "autenticidad y sinceridad" en un segundo lugar muy cerca. Si no tienes esas dos características, lo demás no importa mucho.

En un estudio realizado por Robert Half Management Resources en el año 2.010, se obtuvieron resultados similares. La firma entrevistó a más de 1.400 directores financieros en empresas elegidas aleatoriamente en los Estados Unidos, que tuvieran 20 o más empleados. Se les pidió que identificaran el rasgo más importante en los potenciales líderes de negocios. En la pregunta: "Además de experiencia técnica o funcional, ¿cuál de los siguientes rasgos busca más usted cuando está preparando futuros líderes en su organización?". "Integridad" fue citada por el 33%. "Habilidades interpersonales y de comunicación" fue citado por el 28%.[30]

"Sin verdad y autenticidad, la esencia de tu imagen personal tiene un fundamento muy débil".

Sin verdad y autenticidad, la esencia de tu imagen personal tiene un fundamento muy débil.

Sigue adelante

Como inicié mi propia empresa a la edad de treinta años, he despedido y contratado para servicios y bienes a toda clase de proveedores, he negociado servicios de consultoría y entrenamiento con clientes de la lista Fortune 500, entrenado a ejecutivos, y he trabajado y observado a profesionales en miles de empresas. Y todavía me asombra la falta de seguimiento que hay en el mercado. En mi mente, esa faceta de integridad siempre ha hecho la diferencia entre los jugadores y los que llevan el equipo. El seguimiento muestra que tú haces lo que dices que vas a hacer:

- Si dices que enviarás el cheque, envíalo.
- Si dices que llegarás a la reunión, llega a la reunión.
- Si dices que terminarás con la documentación, termina con la documentación.
- Si dices que vas a cooperar, coopera.
- Si dices que vas a mantener algo confidencial, mantén esa información en privado.
- Si dices que vas a hacer mejoras, da los pasos para hacerlas.
- Si dices que vas a entregar el producto o servicio en tal fecha, entrega el producto o servicio en esa fecha.

El seguimiento muestra autodisciplina, otra perspectiva en el prisma de la imagen personal. Quienes tienen presencia impactan a los demás porque sus palabras tienen peso.

20

Revela, reconoce y repara

"Los hombres son iguales en sus promesas.
Son sólo sus actos los que los diferencian".
—Moliere

La frase "Muestréame el dinero", de la película *Jerry Maguire,* se convirtió en un lema popular por una buena razón. La gente sigue a líderes que generan resultados. La primera reacción pública al anuncio de la administración Obama de que había "estado al frente del derrame de petróleo de BP desde el primer día" fue: "Entonces muéstrennos las acciones que han implementado". Ese siempre es el caso y la pregunta. BP, Halliburton, Schlumberger, todos escucharon lo mismo de parte del público cuando dijeron que las cosas 'estaban bajo control' después del mayor derrame de petróleo en la Historia de los Estados Unidos: "Muéstrame la acción".

Así también es en cualquier situación, (ya sea de rutina o una crisis), la incompetencia, el rehusarse a aceptar responsabilidad por los resultados, o el quejarse, reducen la percepción de imagen personal.

La reacción del público, según lo demostrado por las encuestas, terminó por ser mucho más positiva cuando el Presidente Obama habló después del trágico tiroteo en Tucson contra la congresista Gabrielle Giffords y 19 víctimas más por parte del enloquecido pistolero Jared Loughner. El Presidente recibió elogios después de hablar en el servicio de conmemoración, animando al país a unir fuerzas para crear la clase de nación que

En cualquier situación, (ya sea de rutina o una crisis), la incompetencia, el rehusarse a aceptar responsabilidad por los resultados, o el quejarse, reducen la percepción de imagen personal.

Christina Green, una niña de 9 años que fue víctima del pistolero, imaginó.

¿Qué marcó la diferencia entre las reacciones de la nación a esas dos tragedias, el derrame de petróleo y el tiroteo de Tucson, en donde muchas vidas se perdieron y donde líderes de todas las inclinaciones políticas participaron en el resultado?

Admite los errores

Todos cometemos errores. Es cómo te recuperas lo que determina quienes son los ganadores o los perdedores en la vida. Esperar perfección en ti o en otros, traza un estándar inalcanzable. Tarde o temprano vas a perder el ritmo. Presentar disculpas, en lugar de dañar la credibilidad, la construyen. Pregúntales a quienes por años han hecho investigaciones de consumidores, y te dirán las estadísticas de lo que ellos llaman "recuperación de servicio". Cuando una organización comete un error con un cliente y luego ofrece unas disculpas y corrige el error, la gran mayoría de esos clientes se hacen más leales que antes del error.

"Todos cometemos errores. Es cómo te recuperas lo que determina quiénes son los ganadores o los perdedores en la vida. Presentar disculpas, en lugar de dañar la credibilidad, la construyen".

El asumir la responsabilidad por malas actitudes, errores o por negligencia, aumenta la confianza en lugar de reducirla. En otras palabras, revela, reconoce y repara.

Rinde cuentas por los resultados

Si alguna vez has "leído entre las líneas" de un currículum, entiendes la gran diferencia entre "rendir cuentas por" algo y "ser responsable de" algo. Al escribir un currículum, parece que eres "responsable de" algo que se te ha asignado para hacer. Pero en el mundo real, si rindes cuentas por algo, alguien te está pudiendo un resultado y tiene el poder para recompensarte o castigarte, dependiendo de ese resultado.

Algunos currículums se leen como una descripción de cargo: "Responsable del desarrollo de negocios en una región de 6 Estados". "Responsable de conservar actualizados los manuales de políticas". Quienes entrevistan siempre quieren preguntar: "Bueno, ¿cómo lo hiciste?" ¿Cuántos negocios desarrollaste en esa región de 6 Estados de la cual eras responsable? ¿Qué tan bien te fue manteniendo al día los manuales de políticas? ¿Eran actualizados a diario? ¿Semanalmente? ¿Trimestralmente? ¿Con qué precisión?" Los currículums que informan sobre resultados siempre llegan a la cima del montón.

Repito: rendir cuentas implica riesgo y recompensa. Ganas recompensas por el éxito; aceptas los castigos por los fracasos. Según la misma naturaleza de la proposición riesgo-recompensa, la percepción que los demás tengan de tu posición y valor, aumentará.

La competencia y los resultados implican más que sólo inteligencia *per se*. Probablemente conozcas a personas inteligentes que no terminaron sus estudios, que hacen un trabajo deficiente o que no saben llevarse bien con sus compañeros. Así mismo, posiblemente conoces personas con inteligencia promedio que se dedican al trabajo, tienen un desempeño excelente y motivan a los demás a cooperar con ellos para lograr metas extraordinarias.

Has escuchado decir que el dinero no es lo más importante en la vida. Pero es más fácil creer eso cuando tienes suficiente como para satisfacer tus necesidades básicas. De la misma manera, la gente mide las aptitudes de maneras diferentes, y tener "suficientes" aptitudes o "suficiente" inteligencia se convierte en cuestión de grados. En algún punto, los demás te sacan del umbral de lo "suficiente" y comienzan a juzgar tu desempeño según los resultados.

Entregar los artículos atrae la atención y exige respeto, lo cual se traduce en la percepción que los demás tengan de tu imagen personal.

Hazle seguimiento al progreso y haz que se vea

Con frecuencia escuchas a la gente decir: "Yo sencillamente hago un buen trabajo y mantengo un bajo perfil". Esa filosofía funciona bien si estás evitando la controversia, pero restringe la percepción de los demás en cuanto a tu aptitud y tus aportes. Si esperas que los demás noten tu trabajo, haz que sea fácil notarlo. Hazle seguimiento. Infórmalo. No tienes que volverte molesto al respecto, pero cuando te pregunten, ten la información.

Nunca te quejes

Las quejas constantes son características de los perdedores. Ese hábito sigue a quienes no tienen éxito y se sienten impotentes para mejorar las cosas por sí solos. Cuando alguien se queja, con ese simple acto, está admitiendo que carece de competencias, carácter, habilidades de comunicación o compromiso para mejorar las cosas. No es un buen mensaje el que se envía.

Los jugadores suplentes se sientan en la banca, gritan y menean la cabeza cuando los titulares cometen errores. Los ganadores entran al campo, aceptan el reto, y se llevan a casa los trofeos.

Nota final

La imagen personal implica más que apariencias y manejo de las primeras impresiones. Tu imagen implica tu esencia física, mental y emocional, así como tu carácter. Abarca lo que los demás piensen o sientan respecto a ti, basados en sus interacciones contigo con el paso del tiempo. Cuando ese sentimiento resulta ser favorable, ganas confianza y credibilidad. A medida que los demás experimentan lo mismo en sus interacciones contigo, el rumor crece y las oportunidades sociales y de negocios conducen al éxito personal y profesional.

Esa impresión de tu imagen se base en 4 elementos clave (mira el gráfico de la siguiente página).

El primer paso para mejorar tu imagen personal es consciencia. Observa a personas que tienen imagen: ¿Cómo lucen? (Cómo se mueven, gesticulan, caminan, se paran, cómo se visten) ¿Cómo hablan? (Qué palabras eligen, entonación, cuáles son sus frases introductorias convencionales y qué conectores usan, qué emociones manifiestan y controlan) ¿Cómo piensan y comunican sus pensamientos en sus reuniones, exposiciones y escritos? Finalmente, ¿cómo demuestran su carácter? (Integridad, preocupación, autenticidad, buena voluntad, consideración, buen humor, disciplina, compromiso).

IMAGEN PERSONAL

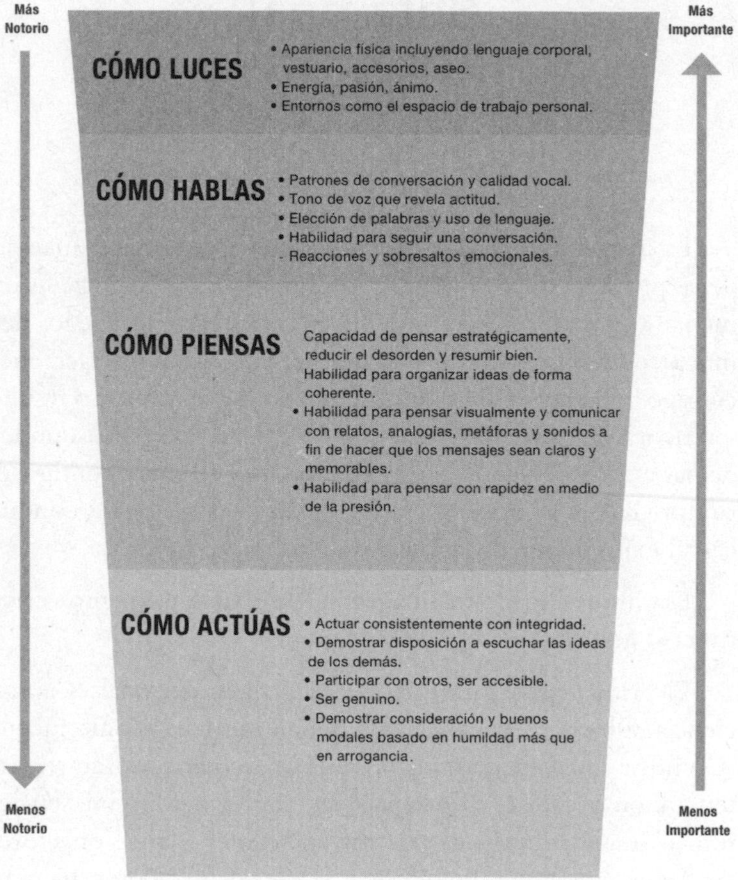

Más Notorio → Menos Notorio

Menos Importante → Más Importante

CÓMO LUCES

- Apariencia física incluyendo lenguaje corporal, vestuario, accesorios, aseo.
- Energía, pasión, ánimo.
- Entornos como el espacio de trabajo personal.

CÓMO HABLAS

- Patrones de conversación y calidad vocal.
- Tono de voz que revela actitud.
- Elección de palabras y uso de lenguaje.
- Habilidad para seguir una conversación.
- Reacciones y sobresaltos emocionales.

CÓMO PIENSAS

- Capacidad de pensar estratégicamente, reducir el desorden y resumir bien.
- Habilidad para organizar ideas de forma coherente.
- Habilidad para pensar visualmente y comunicar con relatos, analogías, metáforas y sonidos a fin de hacer que los mensajes sean claros y memorables.
- Habilidad para pensar con rapidez en medio de la presión.

CÓMO ACTÚAS

- Actuar consistentemente con integridad.
- Demostrar disposición a escuchar las ideas de los demás.
- Participar con otros, ser accesible.
- Ser genuino.
- Demostrar consideración y buenos modales basado en humildad más que en arrogancia.

Tu carácter sirve como el fundamento del canal. Pero tu apariencia es lo que generalmente los demás ven en ti. Al desarrollar tu imagen en las cuatro áreas, mejorarás tu impacto.

El segundo paso implica evaluación personal y retroalimentación. Pídele a un amigo confiable, supervisor o compañero, que te dé su opinión con respecto a las áreas que te preocupan. Hazte una autoevaluación para analizarte a ti mismo con respecto a las 4 áreas principales que se tratan en este libro.

El tercer paso requiere atención a los hábitos y actitudes y tu compromiso con aprender y practicar una nueva destreza o técnica. A medida que practiques, por ejemplo, cómo hacer gestos más amplios, pensar rápido bajo presión o resumir brevemente, pídele retroalimentación a tu entrenador de confianza. Y asegúrate que él haya leído el libro y sepa qué es lo que estás haciendo para mejorar.

Para hacer una evaluación anual, sugiero que realices un video para evaluarte. Quienes hacen dieta se desaniman cuando sólo pierden una o dos libras por semana y parece que nadie lo nota. Pero haz que comparen fotos de enero 1 con una de mayo 1 después de que han perdido veinte libras, ¡y notaran una diferencia dramática! Así como al ganar o perder peso, los pequeños progresos en tu imagen personal pueden no ser notorios y parecerte insignificantes semana a semana. Pero con el tiempo, tú y los demás verán, escucharán y sentirán el impacto. Como medio de control, grábate en varias situaciones, como haciendo una exposición, liderando una reunión, participando en una discusión de grupo; luego graba la primera retroalimentación que te de tu entrenador de confianza. Un año después, vuelve a grabarte en situaciones similares y compara las sesiones de retroalimentación.

Si has estado trabajando en algunos cambios, verás y escucharás una mejora importante en tu imagen e influencia personal.

¿Cuál es la buena noticia en cuanto al tiempo y la atención dedicados a este esfuerzo? Con cada interacción, tienes el poder de fortalecer y comunicar tu imagen. Y, como lo dije anteriormente, ya sea que estés comenzando una relación, entrenando a un equipo deportivo, empezando en un empleo, cerrando un trato o liderando una organización hacia el cambio, las cosas pequeñas pueden ser de gran impacto.

Notas

1. Pease y Pease, *The Definitive Book of Body Language.*
2. Elmer y Houran, *Physical Attractiveness in the Workplace.*
3. Case y Paxson, *Stature and Status*, 499-532.Véase también Möbius y Rosenblat, *Why Beauty Matters*, 222-235.
4. Cohen, *The Tall Book.*
5. Cialdini, *Influence*, 171.
6. Mobius y Rosenblat, *Why Beauty Matters*, 222-235.
7. Pease y Pease, *The Definitive Book of Body Language.* Se refieren a esto como el "Efecto embudo".
8. Robinson, Conferencia TED 2006.
9. Para una lista completa de fuentes de imagen véase la página de créditos al inicio de este libro.
10. Ekman, *Emotions Revealed.*
11. Pease y Pease, *The Definitive Book of Body Language*, 215-222.
12. Pease y Pease, *The Definitive Book of Body Language*, 71-72.

13. Freedman, *Why Trial Lawyers Say It Better.*

14. Ekman, *Emotions Revealed,* 20-29.

15. Howard y Gengler, *Emotional Contagion Effects on Product Attitudes.*

16. Ekman, *Emotions Revealed,* 58-60.

17. Tavris, Anger: *The Misunderstood Emotion.*

18. Bush, *Decision Points.*

19. Kanter, *Zoom In, Zoom Out*" 112-116.

20. Burrus, *Flash Foresight.*

21. Cote, *A Balancing Act.*

22. Jobs, *Discurso de graduación en la Universidad Stanford.*

23. Berman y Knight, *Financial Intelligence for Entrepreneurs,* 47.

24. Jones et al., *How Do I Love Thee? Let Me Count The Js,* 665-683.

25. Cuddy, *Just Because I'm Nice, Don't Assume I'm Dumb.*

26. Ickes, ed., *Empathic Accuracy,* 2.

27. Cialdini, *Influence,* 188-193.

28. Pease and Pease, *The Definitive Book of Body Language,* 340.

29. Knowledge@Wharton, *When Do Exaggerations and Misstatements Cross the Line?*

30. Gamble, *CFOs Cite Integrity As Most Important Trait,* 18.

Bibliografía

Ambady, Nalini, y Robert Rosenthal. "Medio minuto: Cómo predecir evaluaciones de maestros partiendo de pequeños trozos de comportamiento no verbal y atractivo físico". *Journal of Personality and Social Psychology* 64.3 (1993): 431-441.

Axtell, Roger E., ed. Do's and Taboos Around the World. Third Ed. White Plains: The Parker Pen Company, 1993.

Baldoni, John. *Great Communication Secrets of Great Leaders. New York*: McGraw-Hill, 2003.

Berman, Karen, y Joe Knight con John Case. *Financial Intelligence for Entrepreneurs: What You Really Need to Know About the Numbers.* Boston: Harvard Business Press, 2008.

Booher, Dianna. *Communicate with Confidence: How to Say It Right the First Time and Every Time.* Rev. Ed. New York: McGraw-Hill, 2011.

-. Speak with Confidence: Powerful Presentations That Inform, Inspire, and Persuade. New York: McGraw-Hill, 2003.

-. The Voice of Authority: 10 Communication Strategies Every Leader Needs to Know. New York: McGraw-Hill, 2007.

Bowden, Mark. *Winning Body Language: Control the Conversation, Command Attention, and Convey the Right Message Without Saying a Word.* New York: McGraw-Hill, 2010.

Burg, Bob. "Abre tu camino con actos para que de verdad les gustes: consejos para tratar con personas difíciles". Revista SUCCESS, Diciembre 2010: 19-21.

Burrus, Daniel. *Flash Foresight: How to See the Invisible and Do the Impossible.* New York: Harper Business, 2011.

Bush, George W. Decision Points. New York: Crown Publishing, 2010.

Carnegie, Dale. How to Win Friends and Influence People. New York: Simon and Schuster, 1936.

Case, Anne, y Christina Paxson. "Estatura y estatus: resultados del mercado con altura, habilidad y trabajo". *Journal of Political Economy* 116.3 (2008): 499-532.

Chaiken, Shelly. "La atracción física y la persuasión del comunicador". Journal of Personality and Social Psychology 37.8 (1979): 13871397.

Cialdini, Robert B., Ph.D. Influence: The Psychology of Persuasion. Rev. Ed. New York: HarperCollins/Collins Business, 2006.

Cohen, Arianne. *The Tall Book*. New York: Bloomsbury, 2009.

Cote, Dave. "Un acto de equilibrio: deuda federal, déficit y recuperación económica". Discurso ante la Cámara de Comercio de los Estados Unidos, octubre 20, 2010.

http://www51.honeywell.com/honeywell/common/documents/ceo-speeches-documents/Chamber_of_Commerce_Speech_-_10-19_Final.pdf

Cuddy, Amy J.C. "No asumas que soy tonto sólo porque soy amable". Harvard Business Review, Febrero 2009.

Dilenschneider, Robert L. *A Briefing for Leaders: Communication as the Ultimate Exercise of Power.* New York: Harper Business, 1992.

Dimitrius, Jo-Ellan, and Mark Mazzarella. *Reading People: How to Understand People and Predict Their Behavior Anytime, Anyplace.* New York: Random House, 1998.

Ekman, Paul. *Emotions Revealed: Recognizing Faces and Feelings to Improve Communication and Emotional Life.* New York: St. Martin's Press, 2003.

Elmer, Eddy, y Jim Houran. "Atracción física en el lugar de trabajo". 2008, Hotel News Resource, http://www.hotelnewsresource.com/article31439.html.

Freedman, Adam. "Por qué los abogados litigantes lo dicen mejor". *The Wall Street Journal,* 29-30 January 2011.

Fugere, Brian, Chelsea Hardaway, y Jon Warshawsky. *Why Business People Speak Like Idiots: A Bullfighter's Guide.* New York: Simon & Schuster/Free Press, 2005.

Gamble, Cheryl. "Los directores financieros citan la integridad como el rasgo más importante". T+D, Diciembre 2010.

Gladwell, Malcolm. Blink: *The Power of Thinking Without Thinking.* New York: Little, Brown and Company, 2005.

Goldsmith, Marshall. What Got You Here Won't Get You There: How Successful People Become Even More Successful. New York: Hyperion, 2007.

Goleman, Daniel. *Social Intelligence: The New Science of Human Relationships.* New York: Bantam Books, 2006.

La imprenta de la Escuela de Negocios de Harvard y la Sociedad de Gestión de Recursos Humanos. *The Essentials of Power, Influence, and Persuasion.* Boston: Harvard Business School Press, 2006.

Helweg-Larsen, M. "Asentir o no asentir: un estudio observacional de la comunicación no verbal y estatus en los estudiantes universitarios hombres y mujeres". Psychology of Women Quarterly 28.4 (2004): 358-361.

Hess, Ursula, Reginald B. Adams, Jr., y Robert E. Kleck. "¿Quién puede fruncir el ceño y quién puede sonreír? Dominio, afiliación y las muestras de alegría e ira". *Cognition and Emotion* 19.4 (2005): 515-536.

Howard, Daniel J., y Charles Gengler. "Efectos contagiosos emocionales sobre actitudes de productos". Journal of Consumer Research 28 (2001): 189-201.

Ickes, William, ed. *Empathic Accuracy.* New York: Guilford Press, 1997.

Jobs, Steve. "Discurso de Graduación en la Universidad Stanford." Palo Alto, 12 Junio de 2005.

Jones, John T., Brett W. Pelham, Mauricio Carvallo, y Matthew C. Mirenberg. "How Do I Love Thee? Let Me Count the Js: Implicit Egotism and Interpersonal Attraction." *Journal of Personality and Social Psychology* 87.5 (2004): 665-683.

Kanter, Rosabeth Moss. "Zoom In, Zoom Out." Harvard Business Review, Marzo 2011.

Knowledge@Wharton. "When Do Exaggerations and Misstatements Cross the Line?"

http://knowledge.wharton.upenn.edu/article.cfm?articleid=2522. 23 de junio de 2010.

Kouzes, James M., y Barry Z. Posner. *Credibility: How Leaders Gain and Lose It, Why People Demand It.* San Francisco: John Wiley & Sons/Jossey-Bass, 2003.

Lizza, Ryan. "El portero: Rahm Emmanuel en cuanto al trabajo". *The New Yorker,* 2 Marzo 2009.

Lovas, Michael, y Pam Holloway. *Axis of Influence: How Credibility and Likeability Intersect to Drive Success.* New York: Morgan James, 2009.

Luntz, Frank. *Words That Work: It's Not What You Say, It's What People Hear.* New York: Hyperion, 2007.

Mehrabian, Albert, y Susan R. Ferris. "La interferencia de las actitudes en la comunicación no verbal de dos canales". *Journal of Consulting Psychology* 31.3 (1967): 248-252.

Merhrabian, Albert, y Morton Wiener. "Decodificación de comunicaciones inconsistentes". Journal of Personality and Social Psychology 6.1 (1967): 109-114.

Mobius, Markus M., y Tanya S. Rosenblat. "¿Por qué importa la belleza?". American Economic Review 96.1 (2006): 222-235.

Nierenberg, Gerard I., y Henry H. Calero. How to Read a Person Like a Book. New York: Simon & Schuster/Pocket Books, 1971.

Noonan, Peggy. *Simply Speaking: How to Communicate Your Ideas with Style, Substance, and Clarity*. New York: Regan Books, 1998.

Pease, Allan, y Barbara Pease. *The Definitive Book of Body Language: The Hidden Meaning Behind People's Gestures and Expressions.* New York: Random House/Bantam Dell, 2004.

Pfeffer, Jeffrey. Power: *Why Some People Have It And Others Don't.* New York: HarperCollins/Harper Business, 2010.

Reiman, Tonya. *The Yes Factor: Get What You Want. Say What You Mean. The Secrets of Persuasive Communication.* New York: Penguin Group/Hudson Street Press, 2010.

Robinson, Sir Ken. Conferencia TED 2006. Febrero de 2006. Publicada en junio de 2006.

Shriver, Maria. *Just Who Will You Be? New York: Hyperion, 2008. Tavris, Carol. Anger: The Misunderstood Emotion*. Rev. Ed. New York: Simon & Schuster/Touchstone, 1989.

Watson, Bruce. PR Lessons from the Top: Tony Howard's Biggest Gaffes. 22 Junio de 2010. http://www.dailyfinance.com/story/media/pr-lessons-tony-haywards-biggest-gaffes/19526309.

Willis, Janine y Alexander Todorov. "Primeras impresiones: cómo decidirte después de una exposición cara a cara de 100-Ms". Psychological Science 17.7 (2006): 592-598.

Acerca de la autora

Dianna Booher ha cambiado la manera en que la América corporativa se comunica.

—Dra. Mary Kay Kickles
Vicepresidente de Educación Corporativa
de la Enciclopedia Británica

El trabajo de toda la vida de Dianna Booher se ha concentrado en torno a la comunicación en todas sus formas: oral, escrita, interpersonal y organizacional. Como autora de 45 libros publicados en 23 países y 16 idiomas, ha viajado por todo el mundo hablando con clientes y organizaciones acerca de los retos de comunicación que se enfrentan en casa y en el lugar de trabajo. A pesar de las diferencias culturales hay dos cosas que no cambian: la comunicación como actividad de negocios básica. Y el hecho de que la comunicación consolida o destruye las relaciones personales y laborales.

La vida cambia dramáticamente cuando un individuo, una familia, una organización y una nación mejoran sus habilidades, hábitos y actitudes de comunicación. Dianna considera eso como una meta emocionante y gratificante para su firma de entrenamiento, Booher Consultants.

Con base en el Metroplex de Dallas/Fort Worth, la firma provee entrenamiento en comunicación, entrenamiento y consultoría para muchas empresas de la lista Fortune 500 y agencias del gobierno, incluyendo a IBM, Lockheed Martin, Raytheon, BP, Chevron, Ericcson, Alcatel-Lucent, USAA, Northestern Mutual, Principal Financial, JPMorgan Chase, PepsiCo, Bayer, JCPenny, The Internal Revenue Service, el servicio de Intercambio de la Fuerza Aérea y el Ejército, el Departamento de Asuntos para Veteranos de los Estados Unidos, y la Armada de los Estados Unidos.

Como alguien a quien le gusta practicar lo que predica en cuanto a imagen personal en el escenario, Dianna permanece ocupada haciendo giras de conferencias. La revista *Successful Meetings* la ha incluido en su lista de los "21 mejores oradores del siglo 21". La Asociación Nacional de Oradores le otorgó su mayor honor al hacerla parte del Salón de la Fama de Oradores. Executive Excellence la ha incluido en su lista de "100 Mejores líderes de pensamiento en Estados Unidos" y "100 Mejores mentes de desarrollo personal".

Los medios nacionales suelen consultar las opiniones de Dianna respecto a temas importantes de comunicación, incluyendo *Good Morning America, USA Today, Fox, CNN, CNBC, Bloomberg, Fortune, Forbes, The Wall Street Journal, Investor's Business Daily, NPR, The New York Times, y The Washington Post.*

Ella tiene una Maestría de la Universidad de Houston.